Page 1 Exercise 1M

1. 24
2. 17
3. 1
4. 4
5.
7. 1.4
8. 19
9. 3000
10. 70
11
13. 0.01
14. 7
15. 1

16. (a) 2, 6, 18, 54, $\boxed{162}$
     (b) 9, 5, $\boxed{1}$, -3, -7
     (c) $\boxed{5}$, 8, $\boxed{11}$, $\boxed{14}$, 17, 20
     (d) 1, 2, 4, $\boxed{7}$, 11

17. 23, 31, 39, 47, 55
18. 19, 16, 13, 10, 7

19. (a) add 2   (b) subtract 5   (c) multiply by 2   (d) divide by 3

20. (a) 15   (b) 28

21. (a) add 0.2   (b) divide by 2   (c) multiply by 10   (d) subtract 3
     (e) divide by 2   (f) add 0.04

22. (a) 26, 31, 36, 41, 46   (b) 5, 3, 1, -1, -3
     (c) 6, 12, 24, 48, 96   (d) 8000, 800, 80, 8, 0.8

Page 2 Exercise 1E

1. (a) 2, $\boxed{7}$, 12, 17, $\boxed{22}$, $\boxed{27}$ (b) $\boxed{38}$, 32, $\boxed{26}$, 20, 14
     (c) $\boxed{30}$, 27, $\boxed{24}$, 21, $\boxed{18}$ (d) $\boxed{47}$, 41, $\boxed{35}$, $\boxed{29}$, $\boxed{23}$, 17

2. (a) 27   (b) 45

3. (a) $3 \to 7 \to 15 \to 31 \to \boxed{63}$ (b) $\boxed{4} \to 9 \to 19 \to 39$ (c) $\boxed{3} \to 7 \to \boxed{15} \to \boxed{31}$

4. (a) $1 \to 2 \to 5 \to \boxed{14}$ (b) $\boxed{3} \to 8 \to 23 \to \boxed{68}$ (c) $4 \to \boxed{11} \to \boxed{32} \to \boxed{95}$

5. (a) $\times 2, -1$ (b) $\times 3, +1$

6. 1111088889, 1111111088888889   7. $5 \times 99 = 495, 6 \times 99 = 594$

8. (a) $5^2 + 5 + 6 = 36, 6^2 + 6 + 7 = 49, 7^2 + 7 + 8 = 64$
     (b) $12^2 + 12 + 13 = 169$ (c) $20^2 + 20 + 21 = 441$

Page 5 Exercise 1M

1. $3\frac{1}{2}$
2. $2\frac{2}{3}$
3. $1\frac{1}{4}$
4. $4\frac{1}{2}$
5. 6
6. $1\frac{6}{7}$
7. $1\frac{3}{8}$

8. 4
9. $2\frac{2}{5}$
10. $6\frac{3}{4}$
11. $3\frac{1}{7}$
12. $1\frac{8}{9}$
13. $3\frac{5}{6}$
14. $7\frac{3}{10}$

15. (a) $3\frac{1}{3} = \frac{10}{3}$ (b) $2\frac{3}{5} = \frac{13}{5}$ (c) $1\frac{1}{6} = \frac{7}{6}$ (d) $4\frac{3}{8} = \frac{35}{8}$

Page 5 Exercise 1E

1. 13
2. 31
3. $\frac{7}{3}$
4. $\frac{13}{4}$
5. $\frac{17}{3}$
6. $\frac{27}{4}$
7. $\frac{22}{5}$

8. $\frac{57}{8}$
9. $\frac{26}{5}$
10. $\frac{31}{7}$
11. $\frac{16}{3}$
12. $\frac{14}{5}$
13. $\frac{43}{9}$
14. $\frac{67}{10}$

15. $\frac{43}{8}$
16. $\frac{41}{5}$
17. $\frac{67}{9}$
18. Kat
19. $\frac{43}{7}$

1. (a) 6   (b) 5   (c) 5   (d) 2   (e) 25   (f) 30   (g) 12   (h) 6

2. eg. $\dfrac{4}{10}$, $\dfrac{6}{15}$, $\dfrac{8}{20}$, $\dfrac{10}{25}$

3. (a) $\dfrac{1}{3}$ (b) $\dfrac{1}{4}$ (c) $\dfrac{2}{5}$ (d) $\dfrac{5}{8}$ (e) $\dfrac{4}{7}$ (f) $\dfrac{5}{12}$ (g) $\dfrac{1}{50}$ (h) $\dfrac{17}{20}$ (i) $\dfrac{3}{11}$ (j) $\dfrac{2}{5}$

4. (a) ROME   (b) MOSCOW

5. (a) $\dfrac{10}{11}$ (b) $\dfrac{3}{5}$ (c) $\dfrac{11}{15}$ (d) $\dfrac{7}{8}$ (e) $\dfrac{4}{7}$ (f) $\dfrac{2}{9}$ (g) $\dfrac{7}{10}$ (h) $\dfrac{1}{2}$

6. (a) $\dfrac{5}{10}$ (b) $\dfrac{7}{8}$ (c) $\dfrac{3}{12}$ **7.** (a) $\dfrac{5}{6}$ (b) $\dfrac{7}{8}$ (c) $\dfrac{5}{10} = \dfrac{1}{2}$ (d) $\dfrac{11}{16}$

    (e) $\dfrac{1}{6}$ (f) $\dfrac{3}{8}$ (g) $\dfrac{7}{18}$ (h) $\dfrac{3}{20}$ **8.** $\dfrac{1}{8}$ **9.** $\dfrac{3}{8}$

1. (a) $\dfrac{6}{10} - \dfrac{5}{10} = \dfrac{1}{10}$ (b) $\dfrac{7}{14} + \dfrac{2}{14} = \dfrac{9}{14}$ (c) $\dfrac{8}{20} - \dfrac{5}{20} = \dfrac{3}{20}$

2. (a) $\dfrac{7}{12}$ (b) $\dfrac{9}{10}$ (c) $\dfrac{11}{15}$ (d) $\dfrac{19}{20}$ (e) $\dfrac{1}{30}$ (f) $\dfrac{5}{12}$

    (g) $\dfrac{11}{24}$ (h) $\dfrac{7}{22}$ (i) $\dfrac{17}{30}$ (j) $\dfrac{1}{12}$ (k) $\dfrac{11}{40}$ (l) $\dfrac{24}{35}$

3. $\dfrac{17}{20}$ **4.** $\dfrac{13}{24}$ **5.** $\dfrac{9}{40}$ **6.** Rebecca by $\dfrac{1}{30}$

7. (a) $\dfrac{15}{12} + \dfrac{20}{12} = \dfrac{35}{12} = 2\dfrac{11}{12}$ (b) $\dfrac{13}{5} + \dfrac{3}{2} = \dfrac{26}{10} + \dfrac{15}{10} = \dfrac{41}{10} = 4\dfrac{1}{10}$ (c) $\dfrac{10}{3} - \dfrac{7}{4} = \dfrac{40}{12} - \dfrac{21}{12} = \dfrac{19}{12} = 1\dfrac{7}{12}$

8. (a) $3\dfrac{11}{15}$ (b) $5\dfrac{1}{8}$ (c) $3\dfrac{7}{12}$ (d) $1\dfrac{2}{3}$ (e) $2\dfrac{1}{3}$ (f) $1\dfrac{7}{8}$

1. 10   **2.** 20   **3.** 12   **4.** 9   **5.** 54   **6.** 40

7. 30   **8.** 72   **9.** 48 Litres   **10.** 45 hours   **11.** 32

12. (a) 15 km   (b) 42 kg   (c) 45 m   (d) 170 kg   (e) £96   (f) 850m

     (g) $1\dfrac{1}{2}$ hours   (h) £3.15   **13.** (a) 3   (b) 3   (c) 5   (d) 7

     (e) 20   (f) 60   **14.** 1.5m   **15.** £9

1. (a) $\dfrac{1}{12}$ (b) $\dfrac{3}{20}$ (c) $\dfrac{1}{2}$

2. (a) $\dfrac{6}{25}$ (b) $\dfrac{3}{28}$ (c) $\dfrac{3}{20}$ (d) $\dfrac{1}{8}$ (e) $\dfrac{5}{16}$ (f) $\dfrac{5}{8}$

(g) $\frac{3}{14}$ (h) $\frac{3}{40}$ (i) $\frac{2}{15}$ (j) $\frac{3}{22}$ (k) $\frac{1}{3}$ (l) $\frac{1}{3}$

3. (a) A is $\frac{1}{4}$ m^2, B is $\frac{1}{2}$ m^2, C is $\frac{1}{12}$ m^2, D is $\frac{1}{6}$ m^2

4. (a) 4   (b) 8   (c) $1\frac{1}{4}$ (d) 6   (e) $3\frac{1}{2}$ (f) $3\frac{1}{3}$

(g) $\frac{3}{4}$ (h) $4\frac{1}{2}$ 5. (a) $2\frac{1}{3}$ (b) $\frac{7}{20}$

6. $8\frac{1}{8}$ square inches   7. (a) $\frac{5}{8}$ (b) $\frac{5}{12}$ (c) $1\frac{1}{20}$ (d) 1

(e) $\frac{13}{40}$ (f) $2\frac{11}{20}$ (g) $3\frac{3}{4}$ (h) $12\frac{1}{4}$

CHECK YOURSELF ON SECTIONS 1.1 AND 1.2 Page 12

1. (a) 5   (b) 512 (c) 6   (d) $-6, -2, \boxed{2}, 6, \boxed{10}$
2. (a) multiply by 4   (b) add 6   (c) subtract 3   (d) 9, 26, 77, 230
3. (a) $2\frac{1}{3}$ (b) $5\frac{5}{6}$ (c) $\frac{19}{5}$ (d) $\frac{11}{4}$
4. (a) $\frac{17}{30}$ (b) $\frac{5}{24}$ (c) $4\frac{1}{6}$ 5. (a) 28   (b) $\frac{3}{10}$ (c) $\frac{3}{14}$

Page 13 Exercise 1M

1. (a) 4, 8, 12, 16   (b) 6, 12, 18, 24   (c) 20, 40, 60, 80   (d) 25, 50, 75, 100
2. 5, 13
3. (a) 1, 12, 2, 6, 3, 4   (b) 1, 30, 2, 15, 3, 10, 5, 6   (c) 1, 17   (d) 1, 50, 2, 25, 5, 10
4. 21, 28   5. (a) 9 & 15, 10 & 14, 11 & 13   (b) 7 & 11, 5 & 13
6. 2, 3, 5, 7, 11, 13, 17, 19, 23, 29   7. $5^2 + 7^2$ by 1
8. (clockwise from top) (a) 5, 4, 11   (b) 7, 9, 5   (c) 6, 8, 9
9. false   10. 4 1

Page 14 Exercise 1E

1. (a) 1, 2, 3, 4, 6, 8, 12, 24   (b) 1, 2, 4, 5, 8, 10, 20, 40   (c) 1, 2, 4, 8
2. (a) 1, 2, 4, 7, 14, 28   (b) 1, 2, 3, 4, 6, 9, 12, 18, 36   (c) 1, 2, 4(d) 4
3. .(a) 6   (b) 7   4. 59, 61   5. True   6. True   7. 60   8. LCM = 24
9. (a) 40   (b) 200   10. one   11. 10, 15 are next triangle numbers   12. 200th box

Page 16 Exercise 2M

1. (a) $100 = 2 \times 5 \times 2 \times 5$ (b) $140 = 2 \times 5 \times 2 \times 7$ 2. $108 = 2 \times 2 \times 3 \times 3 \times 3$
3. (a) $2 \times 2 \times 2 \times 3$ (b) $2 \times 2 \times 2 \times 3 \times 3$ (c) $2 \times 5 \times 11$
   (d) $2 \times 2 \times 3 \times 5 \times 5$ (e) $2 \times 3 \times 3 \times 7$ (f) $2 \times 3 \times 3 \times 5 \times 7$
   (g) $2 \times 2 \times 2 \times 7 \times 7$ (h) $2 \times 2 \times 2 \times 3 \times 3 \times 5 \times 11$

4. 7   **5.** 15   **6.** 25   **7.** 20

8. $13 = 4 + 9$, $17 = 1 + 16$, $29 = 4 + 25$, $37 = 1 + 36$, $41 = 16 + 25$, $53 = 4 + 49$,
   $61 = 25 + 36$, $73 = 9 + 64$, $89 = 25 + 64$, $97 = 16 + 81$

Page 17 Exercise 2E

1. (a) 64   (b) 125   (c) 216   (d) 1000   (e) 343

2. (a) 4   (b) 5   (c) 8   (d) 10   (e) 7

3. (a) 6cm   (b) 3cm   (c) 12cm

4. (a) 1   (b) 121   (c) $\dfrac{1}{4}$ (d) $\dfrac{1}{8}$ (e) 0.01

5. Answers are: 16, 81, 256, 25, 7776, 32768, 729, 19683, 100, 1024

6. 10^1, 10^2, 10^3, 10^4, 10^5, 10^6 **7.** false   **8.** (a) 7   (b) 11   (c) 14

9. $12^2 - \boxed{44}$, $5^3 + 5^2 - \boxed{50}$, $10^4 \div \boxed{100}$, $4^3 + 5^2 + \boxed{11}$ **10.** 61

Page 18 Investigation-consecutive sums

$1 -$, $2 -$, $3 = 1 + 2$, $4 -$, $5 = 2 + 3$, $6 = 1 + 2 + 3$, $7 = 3 + 4$, $8 -$, $9 = 4 + 5$, $10 = 1 + 2 + 3 + 4$,
$11 = 5 + 6$, $12 = 3 + 4 + 5$, $13 = 6 + 7$, $14 = 2 + 3 + 4 + 5$, $15 = 1 + 2 + 3 + 4 + 5$, $16 -$, $17 = 8 + 9$,
$18 = 5 + 6 + 7$, $19 = 9 + 10$, $20 = 2 + 3 + 4 + 5 + 6$, $21 = 10 + 11$, $22 = 4 + 5 + 6 + 7$, $23 = 11 + 12$,
$24 = 7 + 8 + 9$, $25 = 12 + 13$, $26 = 5 + 6 + 7 + 8$, $27 = 13 + 14$, $28 = 1 + 2 + 3 + 4 + 5 + 6 + 7$,
$29 = 14 + 15$, $30 = 9 + 10 + 11$, $31 = 15 + 16$, $32 -$, $33 = 16 + 17$, $34 = 7 + 8 + 9 + 10$, $35 = 17 + 18$,
$36 = 1 + 2 + 3 + 4 + 5 + 6 + 7 + 8$, $37 = 18 + 19$, $38 = 8 + 9 + 10 + 11$, $39 = 19 + 20$

Page 19 Investigation-power sums

$8 = 8$, $9 = 8 + 1$, $10 = 8 + 2$, $11 = 8 + 2 + 1$, $12 = 8 + 4$, $13 = 8 + 4 + 1$, $14 = 8 + 4 + 2$, $15 = 16 - 1$,
$17 = 16 + 1$, $18 = 16 + 2$, $19 = 16 + 2 + 1$, $20 = 16 + 4$, $21 = 16 + 4 + 1$, $22 = 16 + 4 + 2$,
$23 = 16 + 4 + 2 + 1$, $24 = 16 + 8$, $25 = 16 + 8 + 1$, $26 = 16 + 8 + 2$, $27 = 16 + 8 + 2 + 1$,
$28 = 16 + 8 + 4$, $29 = 16 + 8 + 4 + 1$, $30 = 16 + 8 + 4 + 2$, $31 = 32 - 1$

Page 20 Exercise 1M

1. (a) -1 (b) 2   (c) 5   (d) -4 (e) -5 (f) 2

    (g) -5 (h) -1 (i) -5 (j) -1 (k) -2 (l) 4

2. (a) -5 (b) -8 (c) -2 (d) 0   (e) -4 (f) -3

    (g) -4 (h) -10 (i) -15 (j) -14 (k) -3 (l) 6

3. (a) 12, 8, 4, 0, -4 (b) $-5, -2, 1, 4, 7$ (c) $-40, -30\ -20, -10, 0$

4. (a)

+	7	−1	4	−2
1	8	0	5	−1
−3	4	−4	1	−5
2	9	1	6	0
5	12	4	9	3

(b)

+	−5	3	8	1
−1	−6	2	7	0
2	−3	5	10	3
4	−1	7	12	5
−2	−7	1	6	−1

1. (a) 3   (b) −1   (c) 0   (d) −4   (e) 5   (f) −1

    (g) 8   (h) 7   (i) 6   (j) 6   (k) 5   (l) 3

2. (a) 4   (b) 11   (c) −2   (d) 1   (e) 9   (f) 2

    (g) 10   (h) 5   (i) −3   (j) −1   (k) −3   (l) 2

3. 94°C   **4.** (a) 15 (b) −11

5.

a	9	3	8	3	2	5	4	7	1	1
b	5	5	3	7	−2	−2	6	10	4	2
$a - b$	4	−2	5	−4	4	7	−2	−3	−3	−1

a	−3	4	3	5	7	4	6	7	2	0
b	0	9	−3	−1	−1	−6	0	5	−1	2
$a - b$	−3	−5	6	6	8	10	6	2	3	−2

6. −£45 Pat owes the bank £45

7. (a)

0	5	−2
−1	1	3
4	−3	2

(b)

−2	3	−4
−3	−1	1
2	−5	0

(c)

8	−1	2	−3
3	−4	9	−2
1	6	−5	4
−6	5	0	7

✕	−5	−4	−3	−2	−1	0	+1	+2	+3	+4	+5
+5	−25	−20	−15	−10	−5	0	5	10	15	20	25
+4	−20	−16	−12	−8	−4	0	4	8	12	16	20
+3	−15	−12	−9	−6	−3	0	3	6	9	12	15
+2	−10	−8	−6	−4	−2	0	2	4	6	8	10
+1	−5	−4	−3	−2	−1	0	1	2	3	4	5
0	0	0	0	0	0	0	0	0	0	0	0
−1	5	4	3	2	1	0	−1	−2	−3	−4	−5
−2	10	8	6	4	2	0	−2	−4	−6	−8	−10
−3	15	12	9	6	3	0	−3	−6	−9	−12	−15
−4	20	16	12	8	4	0	−4	−8	−12	−16	−20
−5	25	20	15	10	5	0	−5	−10	−15	−20	−25

Page 24 Exercise 2E

1. -12 2. -9 3. -16 4. 15 5. -7 6. -4 7. -6
8. 5 9. 4 10. -2 11. 4 12. 3 13. -5 14. 5
15. -2 16. -5 17. -7 18. -4 19. 3 20. -2
21. Kiev colder by 1°C
22. (a) -3 (b) -4 (c) 2 (d) -1 (e) -3 (f) -2
    (g) -6 (h) -20 (i) -10 (j) -2 (k) -2 (l) 1
23. (a) $3, -1, -3, 3$ (b) $-5, 3, -15, -45$ (c) $-1, -2, 2, -4$
    (d) $3, -2, -6, 12, -72$ (e) $-2, -2, 4, -8, -32$ (f) $2, -3, -6, 18, -108$
    (g) $3, -1, -3, 3, -9$ (h) $-1, 4, -4, -16, 64$ (i) $-10, 1, -10, -10, 100$
24. (a) True   (b) False   (c) False   (d) True   (e) True   (f) False

Page 25 Practice tests

Test 1

1. -16 2. 64 3. -15 4. -2 5. 15 6. 18 7. 3
8. -6 9. 11 10. -48 11. -7 12. 9 13. 6 14. -18
15. -10 16. 8 17. -6 18. -30 19. 4 20. -1

Test 2

1. 100 2. -20 3. -8 4. -7 5. -4 6. 10 7. 9
8. -10 9. 7 10. 35 11. -20 12. -24 13. -10 14. -7
15. -19 16. -1 17. -5 18. -13 19. 0 20. 8

Test 3

1. -16 2. 6 3. -13 4. 42 5. -4 6. -4 7. -12
8. -20 9. 6 10. 0 11. 36 12. -10 13. -7 14. 10
15. 6 16. -18 17. -9 18. 15 19. 1 20. 0

Test 4

1. 0 2. -16 3. -14 4. 24 5. -1 6. 14 7. -2
8. -2 9. 7 10. 33 11. -1 12. -30 13. -28 14. 19
15. -9 16. -8 17. 1 18. -9 19. -16 20. 4

Page 26 CHECK YOURSELF ON SECTIONS 1.3 AND 1.4

1. (a) 1, 28, 2, 14, 4, 7   (b) 60   (c) 15, 30, 45, 60, 75, 90
   (d) 20, 40, 60, 80, 100, 120   (e) 60
2. (a) 20   (b) 121
3. (a) $126 = 2 \times 3 \times 3 \times 7$ (b) $150 = 2 \times 3 \times 5 \times 5$
4. (a) 2^5 larger by 5   (b) 625   (c) 47
5. (a) -6 (b) 1   (c) 7   (d) -5 (e) -2 (f) -3
6. (a) 28   (b) -10 (c) -5

(d) A = −16, B = −2, C = 24, D = −8, E = −4, F = −40

Page 28 Exercise 1M

1. (a) 28 (b) 16 (c) 9   **2.** (a) 90 (b) 27 (c) 117

3. (a) 96 (b) 41 (c) 78   **4.** 1 × 24, 2 × 12, 3 × 8

5. 48   **6.** (a) m^2 (b) km^2 (c) mm^2

7. $96cm^2$ **8.** Both the same

Page 29 Exercise 1E

1. (a) 33 (b) 55 (c) 51   **2.** $27cm^2$

3. (a) 500 (b) £360 (c) £396   **4.** (a) 40cm (b) 40cm

5. (a) 5cm (b) 8cm (c) 4cm (d) 4cm

6. (a) $57cm^2$ (b) $57cm^2$ (c) $92cm^2$

7. (a) D (b) B (c) C, D

8. (a) eg. (b) eg.

Page 31 Exercise 2M

1. $40cm^2$ **2.** $42cm^2$ **3.** $40cm^2$ **4.** $70cm^2$ **5.** $25cm^2$

6. $24cm^2$ **7.** $24cm^2$ **8.** 6cm   **9.** 4cm   **10.** Various

Page 32 Exercise 2E

1. (a) C (b) E (c) E   **2.** 100cm

3. 12cm × 7cm   **4.** 0.5cm`   **5.** 9cm   **6.** £178.50

7. A = $64cm^2$ B = 48 cm^2 **8.** $42m^2$ **9.** 15   **10.** £15

Page 33 CHECK YOURSELF ON SECTION 1.5

1. (a) $28cm^2$ (b) $67cm^2$ (c) $100cm^2$ (d) $36cm^2$

2. (a) $90cm^2$ (b) $120cm^2$ (c) 96 minutes

Page 34 Unit 1 Mixed Review

Part one

1. (a) −5 (b) 20 (c) −16 (d) −16 (e) −3 (f) 30

2. (a) $5^2 = 4^2 + 4 + 5 = 25$, $6^2 = 5^2 + 5 + 6 = 36$, $7^2 = 6^2 + 6 + 7 = 49$,

$8^2 = 7^2 + 7 + 8 = 64$, $9^2 = 8^2 + 8 + 9 = 81$, $10^2 = 9^2 + 9 + 10 = 100$

(b) (i) 961 (ii) 5041 (iii) 10201 (iv) 361

3. $100cm^2$ **4.** (a) $\dfrac{1}{6}$ (b) $\dfrac{17}{30}$ (c) $\dfrac{3}{8}$ (d) $\dfrac{1}{4}$

5. £72   **6.** (a) +3 (b) −3 + −6 = −9 (c) −5 − −6 = 1

7. 28   **8.** (a) $36cm^2$ (b) $18cm^2$ (c) $18cm^2$

9. (a) 16 (b) 8 (c) 1 (d) 1000

10. (a) 35, 70   (b) 30, 70, 80 (c) 12, 18, 30, 51   **11.** (a) 27   (b) 11   (c) −2.5

12. 10800   **13.** (a) 324 + 241 + 624 = 1189   (b) 327 + 482 + 624 = 1433

14. 255g   **15.** 80cm

Part Two

1. (a) 40   (b) 24   (c) $\dfrac{11}{12}$ (d) $1\dfrac{9}{10}$

2. (a) 29   (b) 7, 17   (c) 3, 9, 21   **3.** 63   **4.** 10 cm^2

5. 50   **6.** (a)

6	7	2
1	5	9
8	3	4

(b)

−4	3	−5
−3	−2	−1
1	−7	0

7. £815   **8.** 475

9. (a) (i) 3.535353... (ii) 0.350350 ... (iii) 0.035003500 ...

(b) 0.003500035   (c) 0.00035000035

10. 182   **11.** 400   **12.** (a) 12cm^2 (b) 40cm^2 (c) 20cm^2

13.

+	$\dfrac{1}{3}$	$\dfrac{2}{5}$
$\dfrac{1}{6}$	$\dfrac{1}{2}$	$\dfrac{17}{30}$
$\dfrac{3}{8}$	$\dfrac{17}{24}$	$\dfrac{31}{40}$

14. (a)

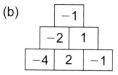

(b)

(c)

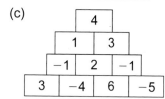

15 (b) 1 + 16 + 64

Page 39 Puzzles and Problems

1. (a) ACEFHI = 20 miles   (b) BGDFE = 11 miles   (c) ABGDCEFHI = 34 miles

2. (a) BDEFHK = 18   (b) GFEDCJL = 18   (c) ABDEFGFHKHIJL = 52

3. Vera-gymnastics, Wilma-tennis, Xenia-swimming, Yasmin-netball, Zara-athletics

4. W-plane, X-boat, Y-train, Z-car

5. Either A-P, B-V, C-H, D-T, E-N, F-R, or A-P, B-H, C-N, D-V, E-T, F-R

Page 40 Mental Arithmetic Practice 1

Test 1

1. 28   **2.** 292   **3.** 500   **4.** 54   **5.** 8006

6. $\dfrac{7}{10}$ **7.** 750 cm   **8.** 4600   **9.** 6   **10.** 74%

11. 25 cm^2 **12.** 7:5   **13.** −5°C   **14.** 20   **15.** any of 3, 9, 27

16. 600   **17.** 64   **18.** 20   **19.** 2.2   **20.** £40

21. 13   **22.** 60   **23.** £6.80   **24.** 18   **25.** 5

Test 2

1. 36   **2.** 24   **3.** 6   **4.** 60   **5.** 75%

6. 1.3   **7.** 35   **8.** £8   **9.** 50p, 10p, 5p, 2p   **10.** 180

11. $\dfrac{5}{7}$ **12.** £13.98   **13.** 25   **14.** 14   **15.** 75p

16. 84p   **17.** 15p   **18.** 36p   **19.** 14   **20.** £11.95

21. 12   **22.** 6 cm   **23.** £5.50   **24.** 10000 mm   **25.** 0530

Page 42 A long time ago! 1

1. (a) $\dfrac{3}{8}$ (b) $\dfrac{3}{32}$ (c) $\dfrac{17}{64}$ (d) $\dfrac{13}{16}$ (e) $\dfrac{3}{64}$ (f) $\dfrac{29}{32}$

2. Possibly   (a)    (b)

       (c)   (d)

3. (a) $\dfrac{63}{64}$ (b) $\dfrac{1}{64}$

Page 44 Exercise 1M

1. (a) 7.3   (b) 8.3   (c) 0.9   (d) 14.2   (e) 0.5   (f) 6.8

     (g) 12.6   (h) 0.9   **2.** (a) 4.37   (b) 7.06   (c) 18.33   (d) 5.07

     (e) 0.27   (f) 28.76   (g) 0.76   (h) 3.09   **3.** (a) 2.14   (b) 7.43

     (c) 3.40   (d) 4.36   (e) 2.61   (f) 0.65   (g) 7.02   (h) 0.31

     (i) 3.09   (j) 0.95   (k) 3.43   (l) 2.64   **4.** (a) 1300   (b) 36400

     (c) 600   (d) 18300   (e) 400   (f) 4400   (g) 6800   (h) 2000

Page 45 Exercise 1E

1. 9   **2.** (a) 9.1   (b) 1.1   (c) 18.3   (d) 52.9

(e) 9.7   (f) 0.9   (g) 1.8   (h) 1.1   (i) 1.5

(j) 11.6   (k) 8.5   (l) 3.6   **3.** 49500   **4.** 1.65m

Page 46 Exercise 2M

1. (a) 60   (b) 600   (c) 60000   (d) 600   (e) 420   (f) 42000

     (g) 360   (h) 36000   (i) 3600   (j) 24000   (k) 35000   (l) 2800

2. (a) 1200   (b) 800   (c) 1800   (d) 4000

3. (a) C   (b) B   (c) B   (d) A   (e) B   (f) C

    (g) A   (h) C   (i) B   (j) C   (k) C   (l) C

    (m) A   (n) B   (o) B   (p) A

4. (a) True   (b) False   (c) True   **5.** ≈ €50

Page 47 Exercise 2E

1. £1250   **2.** £1400   **3.** £270   **4.** £1200   **5.** $80000   **6.** £2400

7. (a) ≈£135   (b) No   **8.** (a) 35.99   (b) 3.96

    (c) 316.8   (d) 15.59   (e) 198   (f) 103.5

9. (a) 20.56   (b) 0.114   (c) 1.23   (d) 98.6   (e) 198.9   (f) 50.76

10. (a) 183.1   (b) 3.124   (c) 31.40   (d) 1.00

11. (a) 7m   (b) £10000

12. (a) (i) £22   (ii) £12   (b) (i) £21.06   (ii) £12.53

13. (a) $4300 \times 1000 \div 1.5 \approx 3000000$ (b) $40000 \times 1000 \div 1.5 \approx 27000000$

14. (a) $80000 \to 100000$ (b) 0.1mm

Page 51 Exercise 1M

1. $9x + 2y$ **2.** $6m + n$ **3.** $5a + 3b$ **4.** $2m + 2n$ **5.** $4p + q$

6. $8x + 6y$ **7.** $4a + 3$ **8.** $3p - 4$ **9.** $n - 5$ **10.** b and c

11. (a) $9x + 7$ (b) $10m + 2$ (c) $4a + 9b + 9$ **12.** $a + 7b$

13. $2m - 3$ **14.** $5 - 2x$ **15.** $n - 1$ **16.** $1 - 2y$ **17.** $2a - 2$

18. $1 - 3q$ **19.** $17 + m - n$ **20.** $-3m - 4$ **21.** A & E, B & F, C & D

Page 52 Exercise 1E

1. $4 \times 3 = 3 \times 4, 4^2 = 4 \times 4$ **2.** $n^2 = n \times n, n + 3 = 3 + n$ **3.** True

4. True   **5.** True   **6.** false   **7.** true   **8.** false

9. false   **10.** false   **11.** true   **12.** true   **13.** true

14. true   **15.** false   **16.** true   **17.** true

18. (a) $n + n, 3n - n$ (b) n^3 (c) $2 \div n$ (d) various answers

19. £$(2n + 5)$ **20.** $(3a - 4)$ kg

Page 53 Exercise 2M

1. $5n + x$ **2.** $5(n + x)$ **3.** $6h - t$ **4.** $6(h - t)$

5. $5(b + x)$ **6.** $ba + x$ **7.** $3y^2$ **8.** $dn - 3$

9. $2a + A$ **10.** $5(h - H)$ **11.** $5(x - 8)$ **12.** $x^2 + 2$

13. $2y - 3$ **14.** $(a + 10)^2$

15. (a) $5(2n - 4)$ (b) $3(5n + 7)$ (c) $5(n + 2) - 3$

    (d) $4\left(\dfrac{n}{2} + 6\right)$ (e) $8(n^2 + 7)$ (f) $6(n + 3)^2$

16. (a) $\times 2, + 7$ (b) $\times 5, - 3, \times 3$ (c) $\times 6, + 1, \div 5$

(d) square, − 3   (e) + 5, square   (f) square, − 1, × 3

17. 10 − m − n   **18.** 90 + t − h   **19.** 7(d + 9)

20. (a) 6n   (b) 6p + 9q   (c) 7m + 9m = 16m

Page 55 Exercise 2E

1. (a) 3n − 4   (b) 3n − 3   (c) 3n − 6   (d) 3n − 9

2. 5y − 9   **3.** nt   **4.** (a) 3n + 5   (b) 2n + 6   (c) 46

5. (a) 2n + 3m   (b)

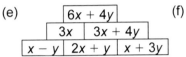

(c)

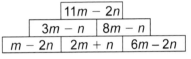

(d)

	5a + 2b	
3a − b	2a + 3b	
2a − 3b	a + 2b	a + b

(e)

	6x + 4y	
3x	3x + 4y	
x − y	2x + y	x + 3y

(f)

	11m − 2n	
3m − n	8m − n	
m − 2n	2m + n	6m − 2n

Page 56 Investigation-Number squares

2. Totals 20, 40, 60   sum = 4x (top right number)

3.

8	9
9	10

4.

6	7
7	8

5.

10	11
11	12

6. Total = 9 × 6 = 54

7 4 times

8.

x − 1	x
x	x + 1

x − 2	x − 1
x − 1	x

x − 1	x
x	x + 1

9.

x	x + 1	x + 2
x + 1	x + 2	x + 3
x + 2	x + 3	x + 4

10.

x − 2	x − 1	x
x − 1	x	x + 1
x	x + 1	x + 2

11. N − 2, N, N + 2

12. (a) T2   (b) 129   (c) 5

(d)

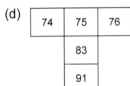

(e)

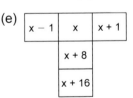

Page 59 CHECK YOURSELF ON SECTIONS 2.1 AND 2.2

1. (a) 6.2   (b) 23.85   (c) 0.36   (d) 0.2

    (e) 10.05   (f) 10.76   (g) 118.03

2. (a) 800   (b) 200   (c) 36   (d) 2400

3. (a) 2m + 3n + 4   (b) x + 3y   (c) 5p − 4   (d) A & C

4. (a) mp   (b) 3n − 5   (c) 70 + 4q

5. (a) n × 4, 2n + 2n, 5n − n   (b) false   (c) no   (d) 5n + 14

Page 61 Exercise 1M

1. (a) 0.2   (b) 0.7   (c) 0.8   (d) 0.45   (e) 0.28
(f) 0.65   (g) 0.75   (h) 0.75   (i) 0.07   (j) 0.875

2. (a) $0.85, \frac{7}{8}, \frac{9}{10}$ (b) $\frac{31}{50}, 0.645, \frac{13}{20}$ (c) $0.715, \frac{29}{40}, \frac{3}{4}$ (d) $0.18, \frac{3}{16}, \frac{1}{5}$

3. $\frac{11}{25}$ **4.** (a) $\frac{3}{5}$ (b) $\frac{7}{10}$ (c) $\frac{7}{100}$ (d) $\frac{2}{25}$ (e) $\frac{3}{1000}$

(f) $\frac{1}{250}$ (g) $\frac{3}{50}$ (h) $\frac{6}{25}$ (i) $\frac{21}{50}$ (j) $\frac{1}{4}$ (k) $\frac{3}{200}$

(l) $\frac{17}{20}$ (m) $\frac{1}{40}$ (n) $\frac{57}{100}$ (o) $\frac{13}{40}$

5. (a) 3.4   (b) 5.5   (c) 2.75   (d) 2.875   (e) 6.03

Page 62 Exercise 1E

1. $0.\dot{5}$ **2.** $0.\dot{6}$ **3.** $0.1\dot{6}$ **4.** $0.\dot{4}2857\dot{1}$ **5.** $0.\dot{7}$

6. $0.\dot{7}1428\dot{5}$ **7.** $0.\dot{1}\dot{8}$ **8.** $0.\dot{4}$ **9.** $0.6\dot{3}$ **10.** $0.8\dot{3}$

11. (a) $0.\dot{1}4285\dot{7}, 0.\dot{2}85714, 0.\dot{4}2857\dot{1}, 0.\dot{5}7142\dot{8}, 0.\dot{7}1428\dot{5}, 0.\dot{8}57142$
(b) the digits 142857 recur in each answer

Page 63 Exercise 2M

1. (a) 25%   (b) 60%   (c) 90%   (d) 73%   (e) 37.5%   (f) 35%
(g) 32%   (h) 87.5%   (i) 75%   (j) 95%

2. 88%   **3.** (a) 16%   (b) 57%   (c) 9%   (d) 78%   (e) 160%

4. Clive 85%, Abbie 70%, Molly 67.5%, Ron 35%

5. (a) 10%   (b) 24%   (c) 36%

6. (a) 22.5%   (b) 35%   (c) 5%
(d) 80%   (e) Italian or Asian

7. (a) 0.29   (b) 0.47   (c) 0.01
(d) 0.98   (e) 0.075

8. Food waste $\frac{6}{25}$, Plastic $\frac{1}{10}$, Glass $\frac{2}{25}$,
Paper and cards $\frac{13}{50}$, Metals $\frac{1}{25}$,
Textiles $\frac{3}{100}$, Other $\frac{1}{4}$

9.

	Fraction	Decimal	percentage
(a)	$\frac{9}{100}$	0.09	9%
(b)	$\frac{9}{25}$	0.36	36%
(c)	$\frac{7}{25}$	0.28	28%
(d)	$\frac{11}{20}$	0.55	55%
(e)	$\frac{7}{100}$	0.07	7%

Page 65 Exercise 2E

1. (a) RATIOS ARE FUN   (b) GOLF IS MY GAME   (c) HALF OF TEN IS FIVE

Page 67 Exercise 1M

1. $a = 78°$ **2.** $b = 56°$ **3.** $c = 53°, d = 53°, e = 127°$
4. $f = 116°, g = 116°, h = 64°$ **5.** $i = 125°, j = 125°, k = 55°$

6. $l = 137°$ **7.** $m = 54°, n = 54°$ **8.** $p = 74°, q = 135°, r = 45°$

9. $s = 37°, t = 143°, u = 45°$ **10.** $v = 69°, w = 111°, x = 78°, y = 102°$

11. $a = 114°$ **12.** $b = 38°, c = 52°$ **13.** $d = 70°, e = 48°, f = 62°$

14. $g = 28°, h = 115°, i = 37°$ **15.** $j = 69°$ **16.** $k = 70°, l = 32°, m = 78°$

Page 68 Exercise 1E

1. BÂC = AĈX, $a + b + c = 180°$ **2.** 180°, 180°, 360°   **3.** AB̂C = BĈD, BĈE = CB̂A + BÂC

Page 70 Exercise 2M

1. $a = 91°$ **2.** $b = 83°$ **3.** $c = 100°$ **4.** $d = 112°$

5. $e = 119°$ **6.** $f = 90°$ **7.** $g = 68°, h = 115°$ **8.** $i = 55°$

9. $j = 53°$ **10.** $k = 91°$ **11.** $l = 80°$ **12.** $m = 40°, 2m = 80°$

Page 70 Exercise 2E

1. $a = 92°$ **2.** $b = 30°$ **3.** $c = 78°, d = 102°$ **4.** $e = 80°$ **5.** $f = 68°$

6. $g = 57°$ **7.** $h = 115°$ **8.** $i = 74°, j = 110°$ **9.** $k = 60°$

10. $l = 111°, m = 77°$ **11.** $n = 84°$ **12.** $p = 30°, 2p = 60°, 3p = 90°$

13. $q = 65°$ **14.** $r = 296°$ **15.** $s = 74°, t = 35°, u = 71°$ **16.** $v = 124°$

17. $w = 32°$ **18.** $x = 63°$ **19.** $y = 40°$ **20.** $a = 20°$ **21.** $b = 128°$

Page 72 CHECK YOURSELF ON SECTIONS 2.3 AND 2.4

1.

$\frac{3}{5}$	$\frac{7}{20}$	$\frac{3}{100}$	$\frac{3}{8}$	$\frac{3}{25}$	$\frac{4}{5}$
0.6	0.35	0.03	0.375	0.12	0.8

2. (a) $0.\dot{8}$ (b) $0.4\dot{5}$

3. (a) 0.34   (b) 44%

(c) True   (d) Roy by 2%

4. $a = 112°, b = 68°, c = 73°, d = 46°, e = 134°$

5. 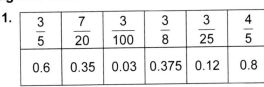 $a + b + c = 180°$ (angles on a straight line) so angles in triangle add up to 180°

6. $a = 63°, b = 82°$ **7.** $a = 119°, b = 58°, c = 49°, d = 73°$

Page 74 Exercise 1M

1. 89°   **2.** 37°   **3.** 7.5cm   **4.** 4.4cm

5. 6.1cm   **6.** 5.5cm   **7.** Bedroom B by 5.8m²

Page 75 Exercise 1E

2. A circle   **3.** A line which bisects the right angle

4. (a) A full circle   (b) A half circle   **5.** A full circle

Page 78 Exercise 2E

7. (d) $AX = 4$cm

Page 79 Exercise 1M

1. (a) 2cm   (b) 4cm   **2.** (a) 3m   (b) 6m   **3.** (a) 7m   (b) 14m

4. (a) 3cm   (b) 6cm   **5.** (a) 4cm   (b) 8cm   **6.** (a) 8cm   (b) 16cm

7. (a) 1m   (b) 2m   **8.** (a) 9cm   (b) 18cm

Page 81 Exercise 2M

13. 157.1cm   **14.** 22.6mm

15. 59.7mm   **16.** circle by 1.4cm

17. (a) 28cm   (b) 22.0cm

1	2cm	4cm	12cm	12.6cm
2	5cm	10cm	30cm	31.4cm
3	4.5cm	9cm	27cm	28.3cm
4	15mm	30mm	90mm	94.2mm
5	8km	16km	48km	50.3km
6	10m	20m	60m	62.8m
7	12.5m	25m	75m	78.5m
8	23mm	46mm	138mm	144.5mm
9	25cm	50cm	150cm	157.1cm
10	37m	74m	222m	232.5m
11	34km	68km	204km	213.6km
12	10mm	20m	60mm	62.8mm

Page 82 Exercise 2E

1. 20.6cm   **2.** 33.4cm

3. 16.5cm   **4.** 26.4cm

5. 47.8cm   **6.** 12.9cm

7. 2.66m

Page 84 Exercise 3M

1. 380.1 mm^2 **2.** 113.1 cm^2 **3.** 314.2 m^2 **4.** 452.4 cm^2 **5.** 1256.6 km^2

6. 5026.5 cm^2 **7.** 1520.5 mm^2 **8.** 530.9 cm^2 **9.** 706.9 m^2 **10.** 2827.4 cm^2

11. 1963.5 m^2 **12.** 3217.0 km^2 **13.** 2206.2 cm^2 **14.** 55.4 m^2 **15.** 855.3 cm^2

Page 85 Exercise 3E

1. 100.5cm^2 **2.** 190.1cm^2 **3.** 307.9cm^2 **4.** 19.6cm^2 **5.** 38.5cm^2

6. 176.7cm^2 **7.** 9   **8.** 13.2m^2 **9.** 16.5cm^2 **10.** 25.9cm^2

Page 86 Check yourself on sections 2.5 and 2.6

1. (a) 5.6cm   (b) 37.8°   **2.** (a)   (b)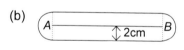

4. (a) 59.7cm   (b) 232.5cm   **5.** (a) 227.0 cm^2 (b) 907.9 cm^2 (c) 4

Page 87 Unit 2 Mixed Review

Part one

1. 276   **2.** £5000

3. (a) false   (b) true   (c) true   (d) false   (e) true   (f) true

4. (a) $a = 107°$ (b) $b = 79°, c = 101°$ (c) $d = 72°$

5. 0.29   **6.** (a) 1 hour   (b) 3 hours   (c) 2 minutes

7. 7n hours   **8.** (a) $m + 7n$ (b) $8p + 2$ (c) $5w + 5q$

9. (a) 4.9cm   (b) 34°   **10.** incorrect   **11.** 211

12.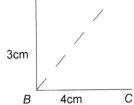

A

3cm

B   4cm   C

13. 85%   **14** 15.7cm   **15.** 1000

Part two

1. A & C   **2.** 120kg   **3.** (a) 125°   (b) 70°   **4.** 153.9cm^2

5. (a) 20n pence   (b) 10n pence   **7.** 2, 3 & 5

8. (a) 19.9   (b) 0.97   (c) 48.0   (d) 99.8   (e) 0.11   (f) 211.2

9. £61.25   **10.**   **11.** £2970   **12** 14.0cm^2

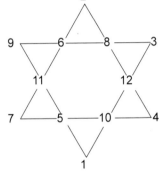

13. 180 − x − y **14.** 20 year - olds   **15.** 2n + m − y − 6

Page 91 Puzzles and Problems 2

1.

2	3	5			2	3
5	3	9			5	7
8	7			2	4	5
1			2	7	0	8
4	2			1	4	6
		6	9	5		

2.

4	2	1	5			2	4	7
6	4			4	2	1	3	
5	4	3	7	4			1	8
1			6	0	8		7	7
4	3	9	4			4		2
	3	1			2	1	6	3
4	2	8	3			3	3	4
7				3	3	3		

3.

1			6	6	1	5	2	
4	2	3	5	8	2	4		
5	2				5	4	5	2
		8	9	6		8		4
6	6	1	4	5			5	6
2		6	6	2	7	2		
4	3	7			3	7	4	
1	6	1	4	5			9	0

4.

1	4	7	8			2	9	1	6	3
4	3			2	5	2	3		1	4
2	9	6	1	3			5	6	0	1
5			3	4	1		4	7	9	8
1	9	7	6			1	2	3		2
		8	1		8	4	3	5	9	
1	3	2	5			5	4	8	7	5
6	5			6	7	0			2	6
8	1	7	1			2	9	8	7	2
7	4	0	1	3	6			2	3	1

5.

3	5	1	4		2	9	6	6	6
1	9		3	5	1	7		9	0
8	2	6	1	4		3	4	3	7
7		2	0	6		3	0	4	8
3	2	1	4		2	7	6		3
	3	1		9	3	6	5	4	
3	5	4	4		5	4	7	3	2
2	8		1	3	7			1	5
4	1	2	2		8	0	7	5	1
4	5	2	7	0	5		7	8	3

Page 93 A long time ago! 2

1. (a) 5   (b) 3   (c) 6   (d) 9   (e) 2   (f) 10
   (g) 12   (h) 15   **2.** 16   **3.** 100000   **4.** 1000000
5. (a) 10001   (b) 11000   (c) 100   (d) 1110   (e) 101100
6. (a) 1000   (b) 10100   (c) 11001

Page 94 Mental Arithmetic Practice 2

Test 1

1. 32 cm   **2.** 20%   **3.** 4.5   **4.** £1.27   **5.** 5 weeks   **6.** £2
7. 14p   **8.** 77p   **9.** 17   **10.** 25.5   **11.** 50 mins   **12.** 240 miles
13. £6.50   **14.** $\frac{4}{7}$ **15.** 41 mins   **16.** 50, 5, 5, 1, 1, or 20, 20, 20, 1, 1 or 20, 20, 10, 10, 2
17. 50006   **18.** 13   **19.** 450 cm   **20.** 132   **21.** 0.6   **22.** £50
23. £7.03   **24.** 6   **25.** 165 mins

Test 2

1. 74   **2.** 120°   **3.** 95°   **4.** £22   **5.** 200
6. £8380   **7.** 138   **8.** 28%   **9.** 38   **10.** £6.45
11. 20p, 10p, 10p, 10p, 1p   **12.** 124   **13.** 0.05   **14.** 125 mins
15. 60000   **16.** Thursday   **17.** True   **18.** 3500 mm   **19.** £1.95
20. 0.75   **21.** 3600   **22.** 83   **23.** 150 cm^2 **24.** 17
25. 5

Page 96 Exercise 1M

1. 1172   **2.** 7536   **3.** 137   **4.** 4559   **5.** 140
6. 438   **7.** 1712   **8.** 2205   **9.** 2300   **10.** 3150
11. 17000   **12.** 860   **13.** 7800   **14.** 24800   **15.** 7971
16. 1699   **17.** 1580   **18.** 2800   **19.** 124   **20.** 1384
21. 2415   **22.** 20800   **23.** 36   **24.** 2190   **25.** 47
26. 124   **27.** 5100   **28.** 3736   **29.** 4020   **30.** 368

Page 97 Exercise 1E

1. 56.2
2. 5.9
3. 6.47
4. 0.83
5. 0.219
6. 13.4
7. 16.2
8. 14.1
9. 0.128
10. 0.732
11. 510
12. 1.37
13. 2.13
14. 257.4
15. 0.102
16. 23.1
17. 0.655
18. 0.057
19. 0.771
20. 60
21. 0.832 − 0.75 larger by 0.001
22. £8.65
23. 66
24. £81.40
25. (a) 100   (b) 6.23   (c) 10   (d) 0.43

Page 98 Exercise 2M

1. $a = 6.5, b = 9.5$
2. $a = 2.4, b = 2.7$
3. $a = 20, b = 45$
4. $a = 0.62, b = 0.66$
5. $a = 0.65, b = 0.8$
6. $a = 10.5, b = 12$
7. $a = 46, b = 56$
8. $a = 0.212, b = 0.218$
9. $a = 2.3, b = 2.8$
10. $a = 1, b = 3.5$
11. $a = 250, c = 450$
12. $a = 0.9, b = 2.5$
13. $a = 1.25, b = 1.5$
14. $a = 0.7, b = 1.8$
15. $a = 0.266, b = 0.276$
16. $a = 0.89, b = 1.04$
17. $a = 6.8, b = 8.5$
18. $a = 1200, b = 2500$

Page 99 Exercise 2E

1. (a) 3.29   (b) 0.626   (c) 0.586
2. (a) 2.7, 2.71   (b) 1.49, 1.48   (c) 4.2, 4.4
3. (a) >   (b) <   (c) >   (d) <
4. 83.23kg
5. (a) 0.7, 0.718, 0.73   (b) 0.405, 0.41, 0.5
   (c) 0.029, 0.035, 0.3   (d) 0.0511, 0.058, 0.06   (e) 0.9, 0.92, 0.94
   (f) 0.063, 0.306, 0.63   (g) 0.19, 0.198, 0.2   (h) 0.084, 0.81, 0.812
6. (a) 0.45   (b) 0.15   (c) 0.5
7. (a) 0.02   (b) 0.002   (c) 0.01   (d) Sam, Carl, Melinda, Julie, Ben, Arwen

Page 100 Exercise 3M

1. 0.3
2. 2.6
3. 0.07
4. 0.15
5. 0.07
6. 0.63
7. 0.05
8. 0.052
9. 0.08
10. 0.18
11. 0.16
12. 0.012
13. 2.1
14. 0.014
15. 0.45
16. 0.24
17. 0.45
18. 0.016
19. 0.0006
20. 0.66
21. (a) $0.84m^2$ (b) $64cm^2$ (c) $0.36cm^2$
22. £1.43
23. (a) 0.09   (b) 0.25   (c) 0.81   (d) 1.44
24. (a) 1.2   (b) 0.1   (c) 100

Page 101 Exercise 3E

1. 0.36
2. 0.64
3. 0.56
4. 1.05
5. 1.083
6. 1.26
7. 0.217
8. 0.0084

9.

⨯	0.1	0.02	0.5	8
0.2	0.02	0.004	0.1	1.6
2.1	0.21	0.042	1.05	16.8
3	0.3	0.06	1.5	24
10	1	0.2	5	80

10. (a) 169.6 (b) 2.76
(c) 64.6 (d) 32.39
(e) 26.04 (f) 31.59
(g) 1.856 (h) 3.42

11. (a) €50 (b) $146.25
(c) $214.50 **12.** $0.75m^2$

Page 102 Exercise 4M

1. 50
2. 90
3. 110
4. 60
5. 320
6. 7
7. 9
8. 13
9. 300
10. 1100
11. 400
12. 30
13. 80
14. 5700
15. 190
16. 42
17. (a) 120 (b) 0.1 (c) 0.01 (d) 2
(e) 120 (f) 0.1
18. (a) 0.1, 100, 0.001, 0.1 (b) 100, 0.1, 100, 0.01
(c) 0.1, 0.01, 10, 1000
19. (a) £0.01 (b) 805
20. 16

Page 103 Exercise 4E

1. 7.3
2. 6.3
3. 3.14
4. 3.56
5. 0.75
6. 32.7
7. 0.65
8. 7.2
9. 1.423
10. 14
11. 704.1
12. 3.31
13. 18.8
14. 420
15. 163.8
16. 80
17. 87
18. 2003
19. 180
20. 33.7
21. 5
22. 250
23. (a) 24.7 (b) 0.0247 (c) 2.47

Page 103 Exercise 5M

1. SOLEIL IS SUN IN FRENCH
2. BEAVERS CUT DOWN TREES
3. MY CAT CHASES ONLY MICE

Page 105 CHECK YOURSELF ON SECTION 3.1

1. (a) 3068 (b) 2812 (c) 27 (d) 0.79 (e) 2.18 (f) 0.12
2. (a) 0.05 (b) 1.35 (c) Snail A
3. (a) 0.03 (b) 0.048 (c) 0.084 (d) £2.67
4. (a) 70 (b) 140 (c) 0.64 (d) 8

Page 107 Exercise 1M

1. 18
2. 2
3. 28
4. 3
5. 21
6. 9
7. 52
8. 3
9. 3
10. 66
11. 90
12. 10
13. 12
14. 14
15. 4
16. 5
17. 58
18. 100
19. 10
20. 1
21. 15
22. 10
23. 3
24. 25
25. 100
26. (a) 24 (b) 11 (c) 26 (d) 74 (e) 16
(f) 60 (g) 8 (h) 2 (i) 4 (j) 3
(k) 5 (l) 4

Page 107 Exercise 1E

1. $(4 + 2) \times 3$
2. $(6 + 3) \times 4$
3. $2 \times (3 + 5)$
4. $3 \times (10 - 5)$
5. $(20 - 8) \times 3$
6. $28 \div (2 + 5)$
7. $(13 + 7) \div 5$
8. $(9 + 1) \times (8 - 6)$
9. $(7 + 4) \times 5$
10. $16 - (3 + 3^2)$
11. $(8 + 3 + 9) \div 2$
12. $(7 + 2) \times (8 - 7)$
13. $(9 - 3^2) + 3$
14. $(8 + 3 - 5) \times 0$
15. $(8 + 2^2) \times (10 - 3^2)$
16. $9 + 3 \times 3$
17. $7 \times 3 + 11$
18. $6 + 12 \div 3$
19. $11 - 4 \div 4$
20. $15 + 4 \times 5$
21. $8 \times 3 + 6$
22. $7 + 6 \div 2$
23. $8 \div 4 + 4 \times 4$
24. $9 - 2 \times 2 + 5$

Page 108 Exercise 2M

1. 4.18
2. 14.66
3. 0.12
4. 1.55
5. 7.44
6. 16.79
7. 0.37
8. 3.19
9. 13.18
10. 1.20
11. 11.81
12. 1.32
13. 7.73
14. 10.57
15. 8.35
16. 6.74
17. 16.88
18. 10.16
19. 9.84
20. 4.87
21. 8.4
22. 12.31
23. 7.32
24. 2.16
25. 0.63
26. 12.17
27. 110
28. 10.21
29. 2.53
30. 2.91
31. £72.19
32. £4274

Page 109 Exercise 2E

1. $\frac{11}{12}$
2. $1\frac{1}{6}$
3. $1\frac{2}{9}$
4. $\frac{23}{30}$
5. $\frac{1}{10}$
6. $\frac{13}{16}$
7. $\frac{3}{14}$
8. $\frac{19}{30}$
9. $\frac{19}{20}$
10. $\frac{1}{6}$
11. $\frac{2}{9}$
12. $\frac{3}{44}$
13. $2\frac{11}{12}$
14. $2\frac{1}{6}$
15. $5\frac{1}{8}$
16. $3\frac{11}{12}$
17. $4\frac{4}{5}$
18. 6
19. $8\frac{3}{4}$
20. 4
21. B
22. Three $\frac{2}{5}$ kg bags and one $1\frac{1}{2}$ kg bag

Page 109 Exercise 3M

1. 3.36
2. 13.13
3. 4.99
4. 10.39
5. 0.92
6. 2.96
7. 1.99
8. 2.04
9. 0.90
10. 9.93
11. 6.87
12. 20.94
13. 3.89
14. 7.05
15. 11.95
16. 7.12
17. 3.69
18. 1.31
19. 5.73
20. 2.77
21. 23.41
22. 16.89
23. 1.61
24. 0.13
25. 7.08
26. 0.80
27. 14.08
28. 1.23
29. 9.10
30. 2.04

Page 110 Exercise 3E

1. $\frac{29}{80}$
2. $\frac{13}{24}$
3. $\frac{13}{40}$
4. $2\frac{7}{8}$
5. $\frac{3}{4}$
6. $1\frac{3}{8}$

7 (a)

+	$\frac{1}{8}$	$\frac{3}{5}$	$\frac{1}{3}$	$1\frac{3}{4}$
$\frac{1}{2}$	$\frac{5}{8}$	$1\frac{1}{10}$	$\frac{5}{6}$	$2\frac{1}{4}$
$\frac{1}{4}$	$\frac{3}{8}$	$\frac{17}{20}$	$\frac{7}{12}$	2
$2\frac{1}{2}$	$2\frac{5}{8}$	$3\frac{1}{10}$	$2\frac{5}{6}$	$4\frac{1}{4}$
$\frac{2}{5}$	$\frac{21}{40}$	1	$\frac{11}{15}$	$2\frac{3}{20}$

(b)

×	$\frac{1}{2}$	$\frac{2}{3}$	$\frac{5}{8}$	$2\frac{1}{5}$
$\frac{4}{5}$	$\frac{2}{5}$	$\frac{8}{15}$	$\frac{1}{2}$	$1\frac{19}{25}$
$\frac{1}{3}$	$\frac{1}{6}$	$\frac{2}{9}$	$\frac{5}{24}$	$\frac{11}{15}$
$\frac{1}{4}$	$\frac{1}{8}$	$\frac{1}{6}$	$\frac{5}{32}$	$\frac{11}{20}$
$1\frac{1}{2}$	$\frac{3}{4}$	1	$\frac{15}{16}$	$3\frac{3}{10}$

8 (a) $\frac{9}{100}$ (b) $\frac{1}{14}$ (c) $2\frac{2}{9}$ (d) $\frac{4}{15}$ (e) $25\frac{1}{2}$ (f) $\frac{-7}{30}$

Page 111 Exercise 4M

1. -21 **2.** 10   **3.** -2 **4.** -40 **5.** 4   **6.** -4

7. 20   **8.** -19 **9.** -5 **10.** 21   **11.** -5 **12.** -31

13. 8.5   **14.** -3.4 **15.** 15   **16.** 1.2   **17.** 32   **18.** -68

19. 6   **20.** -2 **21.** -2 **22.** -9.7 **23.** -1.4 **24.** 8.3

25. (a) True   (b) false   (c) false   (d) true   (e) True   (f) True

26. (a) -7.01 (b) -3.3 (c) -20.59 (d) 3.8

27. (a) 2.8   (b) 4.3   (c) -14.6 (d) -4.3 (e) -5.7 (f) 10.2

Page 112 Exercise 4E

1. OI   **2.** IGLOO   **3.** BOILED   **4.** EGGS   **5.** SELL

6. I   **7.** SIGHED   **8.** HEIDI   **9.** SHELLS   **10.** BIG

11. GOOSE   **12.** EGGS   **13.** GEESE   **14.** SIEGE   **15.** SID

16. HE   **17.** IS   **18.** BIG   **19.** SLOB   **20.** LESLIE

21. HE   **22.** SLOSHED   **23.** BOOZE   **24.** OH   **25.** BOSS

26. HEDGEHOG

Page 113 Exercise 1M

1. $m = 18$ **2.** $x = 38$ **3.** $a = 5$ **4.** $c = 0$

5. $q = 67$ **6.** $m = 12$ **7.** $y = 3$ **8.** $v = 92$

9. $a = 65$ **10.** $g = 17$ **11.** $C = £70000$ **12.** $p = 3$

13. $y = 150$ **14.** $a = 42$ **15.** $A = 56$ **16.** $p = 32$

Page 114 Exercise 1E

1. (a) $720°$ (b) $18000°$ **2.** (a) $y = 88$ (b) $y = 370$ (c) $y = 70.3$

3. (a) 23   (b) 5   (c) 17   **4.** (a) $y = 1$ (b) $y = 5$ (c) $y = 48$

5. (a) 55   (b) 4950   **6.** (a) $m = 31$ (b) $m = 15$ (c) $m = 36$

7. (a) $h = 120$ (b) $h = 30$ (c) $h = 150$

8. 5625   **9.** 52   **10.** $d = n - 3$

Page 116 Exercise 2M

1. 17   **2.** 5   **3.** 7   **4.** 39   **5.** 31

6. 7   **7.** 18   **8.** 33   **9.** 12   **10.** 16

11. $(6 - n)^2, n^2, 3 + 2n, \dfrac{27}{n}$ **12.** (a) 3   (b) 9   (c) 1

13. (a) 38   (b) 14   (c) 20   **14.** (a) 3   (b) 0   (c) 18

Page 117 Exercise 2E

1. 7   **2.** 18   **3.** 16   **4.** 4   **5.** 2   **6.** -6

7. -3 **8.** 7   **9.** 2   **10.** 10   **11.** 4   **12.** 0

13. (a) 70   (b) 100   (c) 50   (d) 20   (e) -400 (f) 400

14. (a) true   (b) false   (c) false   (d) true   (e) true   (f) true

15. $w^2 + w$ **16.** 23   **17.** 21   **18.** 2   **19.** -1 **20.** 26

21. 9   **22.** 43   **23.** 8   **24.** -4 **25.** 21   **26.** 61

27. 31   **28.** 9   **29.** 20   **30.** 17   **31.** -8 **32.** 17

33. 20   **34.** 8   **35.** 30

Page 118 CHECK YOURSELF ON SECTIONS 3.2 AND 3.3

1. (a) 17   (b) 36   (c) 14   (d) 6.41   (e) 0.72   (f) 6.67

2. (a) $\dfrac{17}{40}$ (b) $\dfrac{5}{14}$ (c) $1\dfrac{1}{3}$ **3.** (a) 17.89   (b) 115.84   (c) 0.92

4. (a) -126 (b) 14   (c) 16   **5.** (a) $m = 15$ (b) $y = 80$ (c) £1500

6. (a) 1   (b) 27   (c) -9 (d) 33

Page 120 Exercise 1M

1. A(2, 1) B(5, 5), C(3, 7), D(6, 9), E(9, 4) F(8, 2), G(1, 8), H(4, 9), I(8, 10), J(10, 7), K(1, 5), L(10, 1) M(4, 2), N(7, 7)

2. J   **3.** D   **4.** M, H   **5.** I   **6.** M, F   **7.** K, B

8. C, N, J   **9.** E   **10.** N   **11.** F   **12.** A   **13.** J

Page 121 Exercise 1E

1. A(2, 4), B(5, 2), C(−2, 5), D(−5, 2), E(−5, −3), F(−2, −6), G(2, −4), H(6, −6), I(4, −2), J(4, 4), K(−2, 2), L(−3, −2), M(−6, −6), N(5, −3)

2. G   **3.** E   **4.** D, E   **5.** C   **6.** M, J

7. $x = 5$ **8.** $y = 4$ **9.** $y = -2$ **10.** $x = -2$

11. A: $x = 3$, B: $y = 2$, C: $y = -2$ **12.** A: $y = 2$, B: $x = 4$, C: $x = -2$

13. (a) (3, 2)   (b) (1, −2)

14. (a) $x = 4, y = 3$ (b) $x = 6, y = 2$ (c) $x = 7, y = -3$ (d) $x = -2, y = -8$

Page 123 Exercise 2M

1. y: 2, 4, 6, 8, 10, 12, 14
2. y: 0, 3, 6, 9, 12, 15
3. y: 1, 3, 5, 7, 9, 11, 13
4. y: 0, 0.5, 1, 1.5, 2, 2.5, 3, 3.5
5. y: 6, 5, 4, 3, 2, 1, 0
6. y: 3, 6, 9, 12, 15, 18
7. y: 18, 15, 12, 9, 6, 3, 0
8. y: 3, 3.5, 4, 4.5, 5, 5.5, 6, 6.5, 7
9. y: 12, 10, 8, 6, 4, 2, 0
10. y: 1, 5, 9, 13, 17, 21, 25
11. y: 20, 17, 14, 11, 8, 5, 2

Page 124 Exercise 2E

1. Lines are parallel, $y = 2x + c$ cuts y axis at $(0, c)$
2. Similar to question 1
3. Similar to question 1
4. (a) $(0, 5)$ (b) $(0, -3)$
5. $y = 6x - 3$, $y = 6x + 1$
6. $y = 5x + c$
7. No

Page 125 Exercise 3M

1. (a) £2 (b) $4 (c) $80 (d) $40 (e) $56 (f) 96
   (g) £30 (h) £44 (i) £10 (j) £85 (k) £25
2. (a) £26 (b) £60 (c) 400 miles
3. (a) (i) 79% (ii) 30% (b) 48 marks
4. (a) 25 miles (b) 24 km (c) 72 km (d) 40 miles (e) 20 miles
5. (b) (i) 68°F (ii) 14°F (iii) 10°C (c) stay at home
6. (a) £50 (b) £15 (c) Selmin cheaper for more than 40 pages

Page 128 Exercise 3E

1. (a) $(1, 0), (2, 1), (3, 2), (4, 3), (5, 4), (6, 5)$ $y = x - 1$
   (b) $(0, 7), (1, 6) (2, 5), (3, 4), (4, 3), (5, 2), (6, 1), (7, 0)$ $x + y = 7$
2. $y = x + 3$
3. $y = x + 5$
4. $y = x + 7$
5. $y = x - 2$
6. $y = x - 6$
7. $y = 2x$
8. $y = 3x$
9. $x + y = 8$
10. $x + y = 5$
11. $y = 2x + 1$
12. (a) $y = x$ (b) $x = 5$ (c) $y = 2$
13. (a) $y = 2x$ (b) $x + y = 6$ (c) $y = 0$

Page 131 Exercise 1E

7. (a)  (b)  8.

Page 132 Exercise 2M

5. (e) $(-2, 4), (-6, 4), (-4, 6), (-3, 6)$
6. (e) $(1, 4), (-1, 3), (2, 3), (2, 4)$

Page 134 Exercise 2E

1. (a) $y = -1$ (b) $x = 3$ (c) $y = x$ (d) $y = 0$ (e) $y = -x$

2. (e) $y = -x$

3.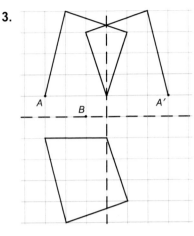

4. (e) $y = \dfrac{-1}{2}$

5. AMBULANCE

6. (a) FRANCE (France)

(b) NELSON (Nelson)

(c) NEWTON (Newton)

Page 135 CHECK YOURSELF ON SECTIONS 3.4 AND 3.5

1. (a) $x = 4$ (b) $y = 3$ (c) $x = -2$ (d) line A ($x = 4$)

2. y: 4, 3, 2, 1, 0 coordinates: (0, 4), (1, 3), (2, 2), (3, 1), (4, 0)

3. (a) 7 km per litre   (b) 14 m. p.g.   (c) 4 gallons

4. (a) $y = x + 6$ (b) A: $x + y = 3$, B: $y = x + 1$

5. (a) 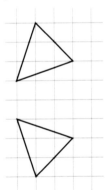   (b)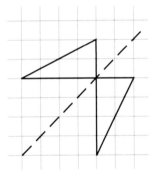

6. (a)   (d) $x = -1$

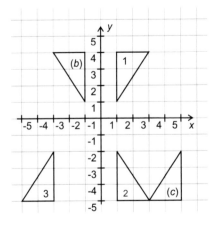

Page 137 Unit 3 Mixed Review

Part one

1. (a) 18   (b) 4   (c) 9   (d) 4   (e) 6   (f) 2
2. (a) 6   (b) 42   (c) 16   (d) 36   (e) 19   (f) 45
3. (a) 0.4   (b) 17   (c) 1273.8   (d) 4.286   (e) 4.286   (f) 80
4. £3.80   5. $30 \times 10 \div 5 = 60$, $30 \times 12 \div 6 = 60$, etc.
6. (a) 4.4   (b) 2.8   (c) 12.0   (d) 2.7   7. $v = 81$
8. (a) 11.0   (b) 2.6   (c) $3\frac{14}{15}$ (d) 29.3   (e) 1.2   (f) $9\frac{1}{3}$
9. £12.25   10. y: 3, 5, 7, 9, 11   11. (a) 23, 24   (b) 3,279 (or others)   (c) 16, 3
12. (a) £84.15   (b) 2.5m^2 (c) Munster Gold by £9.15   13. 65

Part two

1. (a) 12.46   (b) 7.5   (c) 6.784   (d) 0.032   (e) 0.72   (f) 1.8
2. $x = 3$ 3. (a) $(7 + 3) \times 6 = 60$ (b) $20 - (4 \div 2) = 18$
   (c) $8 \times (2 + 3) - 2$ (d) $(19 \times 5) - 2 = 3 \times (14 + 17)$
4. y: 6, 5, 4, 3, 2, 1, 0   5. $v = 8$ 6. (a) 65p, £0.8, £1.25   (b) 3.45
7. (a) 4   (b) -8 (c) -6 (d) 0   (e) 4   (f) -11
8. (a) 10   (b) 15   (c) 64   (d) 0.35   (e) 0.27   (f) 0.7
9. 141   10. €64500   11. (a) 1 day   (b) (i) 500 litres   (ii) 340 litres
   (c) (i) 9 days   (ii) 21 days   (iii) 12 days   (d) yes
12. (a) 3.58   (b) 20.16   (c) 1.69   13. mother by £2.41
14. (a) $c = 39$ (b) $c = 5$ (c) $c = 16$

Page 144 Mental Arithmetic Practice 3

Test 1

1. 2.2 kg   2. 2000   3. 10000 cm^2 4. £192   5. 82°
6. £500   7. 7.55   8. £5   9. £6.50   10. 20 hours
11. 499 mm   12. 115   13. 150 mins   14. 58   15. 8.35
16. 96 miles   17. 56 cm   18. 195 cm   19. 2   20. 1935
21. 300 mm   22. £100   23. 52.5
24. 50p, 5p, 5p, 5p, 1p or 20p, 20p, 20p, 5p, 1p   25. Jim

Test 2

1. 8990   2. £18   3. 10   4. 1020   5. $2\frac{1}{2}$
6. False   7. 20 cm^2 8. 3.75   9. 13   10. 23
11. 0.07   12. 1.69 m   13. 360 m   14. 3 squared   15. 16
16. 2500000   17. £5.32   18. 0.24   19. 27   20. 37
21. 25 cm   22. 4   23. $\frac{1}{8}$ 24. 60000   25. 12

Page 146 A long time ago! 3

1. 1, 1, 2, 3, 5, 8, 13, 21, 34, 55, 89, 144, 233, 377, 610, 987, 1597, 2584, 4181, 6765, 10946, 17711.

2. (a) GGGG, BGGG, GBGG, GGBG, GGGB, BGBG, BGGB, GBGB   (b) 144   (c) 17711

Page 148 Exercise 1M

1. (a) 6   (b) 7   (c) 3   (d) 23   **2.** (a) 7   (b) 6   (c) 10

3. (a) 9, 14, 14, 13, 15, 17, 12, 19, 17   (b) 14   (c) 75p   **4.** £3.99   **5.** (a) 1.50m

(b) 1.482 m   **6.** −1°C   **7.** (a) 27   (b) 91   (c) 12   **8.** 4, yes

9. (a) 1.74m   (b) 1.73m

Page 149 Exercise 1E

1. 1 or 70   **2.** $n = 9$ **3.** 5 and 9   **4.** (a) Possible   (b) False   (c) Possible

5. (a) 35   (b) 51   **6.** the median

7. mean = 17, median = 3, The median is more representative.

8. $x = 9$ **9.** many answers (eg. 4, 4, 6, 10, 11)

Page 150 Exercise 2M

1. Use the Comets: median = 10.9, range = 0.7 and the Typhoons: median = 10.7 range = 0.7

2. (a) mean = 83.875 kg, range = 36 kg

3. (a) mean = 1.601 m, range = 0.07 m   (b) mean = 1.518 m, range = 0.29 m

4. (a) Use 'red ants': median = 13, range = 23 and 'black ants': median = 13, range = 9

Page 152 Exercise 2E

1. $\dfrac{276}{100} = 2.76$ **2.** $\dfrac{64}{40} = 1.6$ **3.** 51.9 g   **4.** 96.25g   **5.** (a) 6.52   (b) 5

6. (a) 3.5   (b) 5   **7.** (a) Max 3.5, Dad 3   (b) Max

Page 155 Exercise 3E

1. (a) 49kg   (b) 17   (c) 56kg

2. (a) Carlton Ward: range = 35, median = 44, Holbrook Ward: range = 44, median = 71

3. (a) 4.5   (b) 5.3

Page 156 Exercise 1M

7. (a) rotation 90° clockwise about the center of the puzzle

(b) rotation 180° about the center of the puzzle

Page 156 Exercise 1E

3. (f) 90° clockwise, center (6, 4)

Page 158 Exercise 2M

5. (a) (2, 0)   (b) (0, 0)   (c) (0, −1)   (d) (−3, 3)

6.

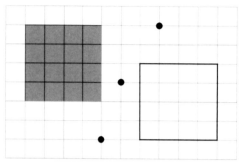

Page 159 Exercise 2E

1. (c)   rotation 180° about 0

2. (c)   rotation 180° about (0,0)

3. (d)   5 units right, 2 units up

    (b)   reflection in y = $3\frac{1}{2}$

    (d)   various (could be (a) then (b))

4. (a)   rotation 90° clockwise, center (3, 1)

    (c)   rotation 90° anticlockwise, center (3, 6)

5. (a)   rotation 90° anticlockwise, center (0, 0)   (b)   reflection in y = 0

    (c)   reflection in y = x   (d)   translation, 9 units right   (e), (f)   various answers

Page 162 CHECK YOURSELF ON SECTIONS 4.1 AND 4.2

1. (a)   9   (b)   6   (c)   7   (d) 7   (e)   2 and 6

2. One sentence using Class 8B mean = 6 and Class 8C mean = 7, one sentence using Class 8B range = 7, Class 8C range = 6.

3. (a)   5   (b)   4

4. (a)

Stem	Leaf
1	9
2	7 9
3	4 7 7 8 9
4	1 3 3 5 7 8 8 9
5	1 2 6
6	1 2 4 7 8
7	7

(b)   range = 40 median = 55

Key
eg. 3/7 means 37

5.

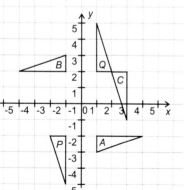

6. (a)   (0, −1)   (b)   (−1, 0)

7. (a) rotation 90° clockwise about $(-3, -1)$.

   (b) eg. rotation 90° clockwise about $(-3, -1)$
   then translated 3 units right and 1 unit down.

   (e) rotation 180° about $(0, 0)$.

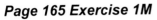

Page 165 Exercise 1M

1. (a) 100cm (b) (i) 2 (ii) 6 (c) 30cm (d) 140cm
2. (a) D (b) C (c) B (d) A
3. (a) 100, 400, 850 (b) 300 (c) 7:40 → 7:50
   (d) 300 (e) about 8:25
4. (a) no (b) 50g
   (c) some crisps are bigger than others
5. (a) 20 km (b) 45 min (c) 08:30, 10:00
6. (a) 07:00 (b) 09:00 (c) stopped at airport
   (d) (i) 30km/h (ii) 20km/h
7. (a) 13:30 (b) 15:15 and 15:30 (c) 14:45
   (d) (i) 60 km/h (ii) 20 km/h (iii) 80 km/h

Page 168 Exercise 1E

1. (a) cold and wet (b) Monday, Sunday (c) both fairly dry, Saturday warmer
2. A → Z, B → Y, C → X, 3. (a) 1h 15 min (b) 10:15 (c) 10:00 and 10:30
6. (c) (i) 45 km (ii) 16:45
7. (a) (i) 15 km/l (ii) 14.5 km/l (iii) 5 km/l
   (b) (i) 160 km/h (ii) 130 km/h (iii) 153 km/h approx.
   (c) about 55 km/h (d) 160 km 8. 20:30

Page 171 Exercise 1M

1. $5x + 15$ 2. $2x + 12$ 3. $3x + 12$ 4. $7x - 14$ 5. $3x - 15$
6. $4x + 24$ 7. $2x - 2$ 8. $6x + 9$ 9. $10x - 25$ 10. $8x + 4$
11. $18x - 24$ 12. $6x + 12$ 13. $15x - 30$ 14. $24x - 16$ 15. $28x + 21$
16. $12 + 30x$ 17. $15 + 9x$ 18. $12x - 8$ 19. (a) $7x + 21$ (b) $2x + 20$
20. $ax + ay$ 21. $ab + ac$ 22. $bm - bn$ 23. $mp - mq$ 24. $xy + my$
25. $np + 4n$ 26. $xy + 3x$ 27. $pq - 7p$ 28. $3m + mn$ 29. $n^2 + 2n$
30. $4m + 24$ 31. $p^2 - 9p$ 32. $2x + 2y$ 33. $x^2 - 3x$ 34. $5a + a^2$
35. $4xy + 2y$ 36. $15a - 6$ 37. $60 - 18n$
38. (a) $3(2x + \boxed{7})$ (b) $4(\boxed{3x} + \boxed{5})$ (c) $\boxed{6}(6 - 3x)$ (d) $\boxed{3}(9 - \boxed{8x})$

Page 172 Exercise 1E

1. (a) $-2m - \boxed{8}$ (b) $-4n + \boxed{12}$ (c) $-2x \boxed{+} 6$ (d) $-5y \boxed{-} 15$ 2. $-4a + 8$
3. $-6m + 18$ 4. $-3n - 12$ 5. $-2y - 16$ 6. $-12 - 4w$ 7. $42 - 14x$
8. $-8n + 32$ 9. $9y + 21$ 10. $-20 + 10m$ 11. $-24w + 12$ 12. $-28 - 14n$

13. $6 + 21a$ **14.** $-27 - 18m$ **15.** $-20 + 12p$ **16.** $24m - 48$ **17.** $-12q + 21$

18. $30 - 35a$ **19.** $-18 - 54m$ **20.** $-40 - 50n$ **21.** $-24a + 24$ **22.** $-12 + 8x$

Page 173 Exercise 2M

1. $5x + 11$ **2.** $5x + 14$ **3.** $6x + 12$ **4.** $8x + 11$ **5.** $9x + 17$

6. $10x + 30$ **7.** $20x + 22$ **8.** $14x + 25$ **9.** $18x + 9$ **10.** $18x + 22$

11. $11n + 33$ **12.** $8x + 14$ **13.** $20x + 15$ **14.** $12x + 9$ **15.** $9x + 12$

16. $12x + 13$ **17.** $22x + 13$ **18.** $19x + 12$ **19.** $14x + 20$ **20.** $21x + 30$

21. $11x + 23$

Page 174 Exercise 2E

1. $8x + 4$ **2.** $16x + 2$ **3.** $27x + 1$ **4.** $2n + 10$ **5.** $5a + 2$

6. $5m + 23$ **7.** $13a + 8b$ **8.** $7a + b$ **9.** $6a + 6b$ **10.** $2a + b$

11. $8a + 6$ **12.** $7n + 2$ **13.** $13n + 20$ **14.** $22m + 16$ **15.** $y + 28$

16. $30a + 2$ **17.** $14x + 46$

Page 175 Exercise 3M

1. 11   **2.** 8   **3.** 6   **4.** 25   **5.** 42

6. 17   **7.** 20   **8.** 4   **9.** 46   **10.** 19

11. 0   **12.** 31   **13.** $a = 7$ **14.** $m = 7$ **15.** $n = 3$

16. $x = 4$ **17.** $y = 6$ **18.** $m = 5$ **19.** $p = 3$ **20.** $n = 6$

21. $y = 6$ **22.** $n = 3$ **23.** $m = 5$ **24.** $a = 4$ **25.** $n = 4$

26. $x = 2$ **27.** $p = 8$ **28.** $m = 5$ **29.** $m = 10$ **30.** $a = 5$

31. $y = 4$ **32.** $a = 5$ **33.** $n = 2$ **34.** $a = 3$ **35.** $m = 0$ **36.** $y = 7$

Page 176 Exercise 3E

1. 5   **2.** 3   **3.** 4   **4.** 8   **5.** 6   **6.** 10

7. 2   **8.** 4   **9.** 9   **10.** 6   **11.** $n = 20$, 72 books

12. 7   **13.** 2   **14.** 3   **15.** 4   **16.** 3   **17.** 0.5

18. 11   **19.** 8   **20.** 1   **21.** 6

Page 177 Exercise 4M

1. (a) $3n + 6 = 21, 3n = 15, n = 5$ (b) $10n - 30 = 30, 10n = 60, n = 6$

2. 4   **3.** 3   **4.** 3   **5.** 6   **6.** 1   **7.** 4

8. 0   **9.** 2   **10.** 1   **11.** 3   **12.** 5   **13.** 7

14. $a = 3$ **15.** $m = 7$ **16.** $b = 2$ **17.** $n = 5$ **18.** $y = 2$ **19.** $p = 6$

20. $m = 3$ **21.** $a = 0$ **22.** $w = 4$

Page 177 Exercise 4E

1. (a) $4n + 12 = 2n + 22, 2n = 10, n = 5$ (b) $9x - 6 = 4x + 14, 5x = 20, x = 4$

2. 4   **3.** 5   **4.** 3   **5.** 6   **6.** 6

7. 15	**8.** 8	**9.** 27	**10.** 8	**11.** 5
12. 0	**13.** 1	**14.** 9	**15.** 2	

Page 178 Exercise 5M

1. (a) 7×14 (b) $2\frac{1}{2} \times 5$ (c) 2.2×4.4 **2.** (a) 4×12 (b) 3.5×10.5

(c) 1.1×3.3 **3.** (a) 8×9 (b) 14×15 (c) 7.3×8.3

Page 179 Exercise 5E

1. 96, 117, 106.25, 108.36, $x = 8.6$cm   **2.** 55, 40, 47.25, 51.84, 48.76, 50.29, $x = 4.7$cm

3. (a) 8.8cm   (b) 3.2cm   (c) 5.3cm   **4.** $x = 6.7$cm   **5.** (a) 4.2   (b) 7.4

Page 181 Exercise 6M

1. 8	**2.** 6	**3.** 12	**4.** 4	**5.** 8	**6.** 7
7. 21	**8.** 5	**9.** $n, n + 1, n + 2$; 20, 21, 22		**10.** 5cm	**11.** 4cm
12. (a) 40°	(b) 30°				

Page 182 Exercise 6E

1. 67	**2.** 10	**3.** 5	**4.** 7	**5.** 4	**6.** 3
7. 40°	**8.** 54, 55, 56	**9.** 4	**10.** $7\frac{1}{2}$kg	**11.** $x = 5$, area = 84 cm^2	
12. 80°, 210°, 70°		**13.** (c) 8	**14.** (a) 11	(b) 9	(c) 19

Page 183 CHECK YOURSELF ON SECTIONS 4.3 AND 4.4

1. (a) AB−Two taps are on, BC−One tap is on, CD−Simon gets into bath, DE−Simon lies in bath, EF−Simon gets out of bath, FG−Simon is out of bath looking for shampoo, GH−Simon gets into bath, HI−Simon lies in bath, IJ−Simon gets out of bath, JK−bath is emptied

(b)

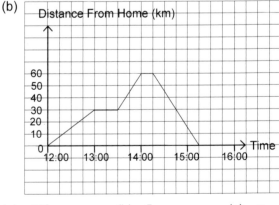

(c) 15:15

2. (a) $5x - 20$ (b) $12x + 6$

(c) $n^2 - 8n$ (d) $11x + 26$

(e) $14x + 19$

3. (a) $n = 6$ (b) $x = 6$

(c) $n = 5$

4. (a) $n = 6$ (b) $x = 5$

(c) $x = 4$

5. (a) 4.2cm   (b) 6.8cm

6. (a) 19°   (b) 5   (c) $x = 7$, BC = 33cm

Page 185 Exercise 1M

1. EASY FRACTIONS

2. (a) $\dfrac{\boxed{8}}{12}$ (b) $\dfrac{\boxed{3}}{12}$ (c) $\dfrac{\boxed{24}}{40}$ (d) $\dfrac{\boxed{15}}{40}$

3. (a) false   (b) true

4. (a) $\dfrac{15}{28}$ (b) $\dfrac{13}{24}$ (c) $\dfrac{7}{45}$ (d) $\dfrac{19}{36}$ (e) $\dfrac{13}{40}$

(f) $\dfrac{17}{20}$ (g) $\dfrac{29}{63}$ (h) $\dfrac{35}{88}$ **5.** $\dfrac{13}{35}$ **6.** (b)

Page 186 Exercise 1E

1. $\dfrac{8}{45}$ **2** Lee by $\dfrac{1}{8}$ of a stone

3. (a) $3\dfrac{1}{4}$ (b) $2\dfrac{1}{6}$ (c) $1\dfrac{3}{4}$ (d) $2\dfrac{5}{6}$ (e) $1\dfrac{13}{20}$

(f) $\dfrac{11}{12}$ (g) $3\dfrac{11}{12}$ (h) $4\dfrac{1}{3}$ (i) $1\dfrac{8}{15}$

4. $\dfrac{7}{24}$ **5.** $\dfrac{3}{4}$, $1\dfrac{1}{3}$, $\dfrac{1}{12}$ and $\dfrac{1}{3}$

Page 187 Exercise 2M

1. $\dfrac{2}{3}$ of 36   **2.** both the same   **3.** 135°

4. (a) 36   (b) 18   (c) 30   (d) 54

5. £34 left over   **6.** (a) 15cm   (b) 2800g   (c) 36 minutes

7. 8 days   **8.** 120°

Page 187 Exercise 2E

1. (a) $\dfrac{3}{40}$ (b) $\dfrac{25}{42}$ (c) $\dfrac{8}{45}$ (d) $\dfrac{12}{21}$ (e) $\dfrac{2}{35}$ (f) $\dfrac{1}{4}$

(g) $\dfrac{1}{12}$ (h) $\dfrac{12}{55}$ (i) $\dfrac{28}{45}$ (j) $\dfrac{1}{2}$ (k) $\dfrac{9}{40}$ (l) $\dfrac{7}{24}$

2. $\dfrac{9}{10}$ cm^2 **3.** $\dfrac{3}{7} \times 35$

4. (a) $4\dfrac{1}{2}$ (b) $6\dfrac{2}{3}$ (c) $4\dfrac{1}{2}$ (d) $17\dfrac{1}{2}$

5. (a) $\dfrac{7}{2} \times \dfrac{2}{5} = \dfrac{14}{10} = \dfrac{7}{5} = 1\dfrac{2}{5}$ (b) $\dfrac{8}{3} \times \dfrac{5}{4} = \dfrac{40}{12} = \dfrac{10}{3} = 3\dfrac{1}{3}$

6. $1\dfrac{3}{4}$ loaves   **7.** (a) $1\dfrac{1}{6}$ (b) $1\dfrac{1}{2}$ (c) $3\dfrac{3}{4}$ (d) $3\dfrac{9}{10}$

Page 189 Exercise 3M

1. (a) $\dfrac{3}{100}$ (b) $\dfrac{3}{20}$ (c) $\dfrac{8}{25}$ (d) $\dfrac{13}{50}$ (e) $\dfrac{47}{50}$

(f) $\dfrac{3}{100}$ (g) $\dfrac{3}{25}$ (h) $\dfrac{3}{10}$

2. (a) 0.17   (b) 0.4   (c) 0.75   (d) 0.02   (e) 0.48

   (f) 0.6   (g) 0.36   (h) 0.65

3. Charlie   **4.** (a) 80%   (b) 8%   (c) 35%   (d) 25%

   (e) 36%   (f) 76%   (g) $33\dfrac{1}{3}$%   (h) 20%

Page 189 Exercise 3E

1. 35%   **2.** (a) 0.28, 30%, $\dfrac{9}{20}$ (b) $\dfrac{7}{50}$, 0.2, 23%   (c) $\dfrac{8}{25}$, 35%, 0.38

3. $\dfrac{4}{5}$ **4.** (a) $0.\dot{8}5714\dot{2}$ (b) $0.\dot{3}$ (c) $0.\dot{5}$ (d) $0.\dot{2}\dot{7}$

5. $\dfrac{36}{50}, \dfrac{3}{4}$ **6.** $\dfrac{17}{20}$, 82%, 0.8, $\dfrac{30}{40}$, 73%, $\dfrac{3}{5}$, 0.09

Page 190 Exercise 1

1. (a) Vancouver   (b) Rio de Janeiro   (c) 45°   **2.** (a) 20   (b) John

3. (a) 23   (b) 27   (c) In 1950 mothers were younger when they had their first child.

4. (a) 0049   (b) 191   (c) 01144   **5.** (a) 505km   (b) 487km   (c) 3922km

Page 192 Exercise 1E

1. Yes   **2.** (a) Frequencies: 2, 5, 7, 4, 3   **3.** (a) Frequencies: 10, 6, 1, 0, 2, 4, 6, 5

   (c) Because it is not entirely concerned with 7 year olds. It includes parents

   (d) Should look more like question 2.

4. (a) 10   (b) 24   (c) 34

5. (a) axis not labeled or vertical axis does not start at 0.

   (b) height is doubled but area is *four* times greater.

Page 194 Exercise 2M

1. (a) 36g   (b) 1g = 10°   (c) Oats 60°, Barley 90°, Sugar 30°, Rye 180°

2.

Programme	Angle
News	40°
Soap	100°
Comedy	80°
Drama	100°
Film	40°

3.

Sport	Angle
Rugby	75°
Football	105°
Tennis	60°
Squash	30°
Athletics	45°
Swimming	45°

4.

Subject	Angle
Maths	45°
English	45°
Science	54°
Humanities	36°
Arts	36°
Other	144°

5. 1 meal = 3°

Page 194 Exercise 2E

1. (a) 72°   (b) 126°   **2.** (a) x = 120°, y = 85°   (b) 20%

3. Any answer which correctly refers to both types of diagram is acceptable.

4. The proportion of nationalities is shown by pie charts and not frequency.

2. (a) 3   (b) 12   (c) 7   (d) ' ...... of drinks sold *decreases.* '

3. (a) 7   (b) 6   (c) no

Page 199 CHECK YOURSELF ON SECTIONS 4.5 AND 4.6

1. (a) $\dfrac{8}{35}$ (b) $\dfrac{31}{40}$ (c) $3\dfrac{11}{12}$ **2.** (a) 35   (b) $\dfrac{1}{6}$ (c) $4\dfrac{1}{5}$

3.

$\dfrac{9}{100}$	0.09	9%
$\dfrac{15}{50}$	0.3	30%
$\dfrac{4}{5}$	0.8	80%
$\dfrac{1}{25}$	0.04	4%
$\dfrac{13}{25}$	0.52	52%
$\dfrac{11}{25}$	0.44	44%

4. (a) 207   (b) 119   (c) 310

5. (a) 4−5%   (b) about 11%   (c) 5%, 0.5%

    (d) more old people in UK

    (e) Saudi Arabia more males than females

6.

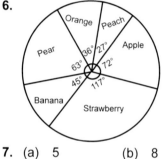

7. (a) 5   (b) 8   (c) true

Page 201 Unit 4 Mixed Review

Part One

1. (a) 5   (b) 5   (c) 4   **2.** (a) $4n + 12$ (b) $mn - 5m$ (c) $x^2 + 2x$

3. (a) $\dfrac{13}{28}$ (b) $\dfrac{39}{40}$ (c) $\dfrac{8}{9}$ **4.** (a) 12   (b) $\dfrac{1}{6}$

5. 4 tripods, 6 octopods or 12 tripods, 3 octopods

6. (a) 6   (b) 5   (c) 3   **7.** (b) 56   (c) 37.5   **8.** 15

9. 4.6   **10.** 0.0102 kg   **11.** (a) $\dfrac{3}{20}$ (b) 8   (c) $\dfrac{1}{14}$

12. (a) 80°   (b) 116°   **13.** (a) translation 4 right, 3 up

    (b) reflection in y = 1   (c) rotation 90° clockwise, center (0, 0)

14. (a) 4   (b) 7   (c) 2   **15.** 3.7

Part two

1. $\dfrac{1}{4}$, 0.4, 45%, 60%   **2.** (a) 6   (b) 6   (c) 8

3. $\dfrac{5}{32}$ **4.** (b) Center at (3, 2)   (c) Rotation 90° clockwise

5. Ice cream: higher temperature → more sales, Soup: higher temperature → lower sales
Sandwiches: no connection

6. 15.2kg   **7.** (a) $10n + 23$ (b) $5n + 29$

8. (a)

278	311	589
68	257	325
346	578	914

(b) 346   **9.** (a) 10%   (b) 40%   **10.** $\dfrac{1}{7}$ **11.** 0.8

12. 15cm   **13.** (a) $674 + 382 + 819 = 1875$

(b) $2073 + 1562 + 4582 = 8217$ **14.** (a) 23.9p   (b) 5p

15. (a) £875   (b) Yes

Page 206 Puzzles and Problems

1. (a) $W = 5, X = 7, Y = 9, Z = 3$ (b) $A = 4, B = 10, C = 7, D = 11, E = 9$

(c) $P = 12, Q = 9, R = 7, S = 13$, missing letter is S (d) $A = 4, B = 15$

2. $\ominus = 1, \gamma = 2, \uparrow = 3, ! = 5, \perp = 9$

3. $\delta = 1, \oplus = 2, * = 3, \triangle = 4, \mathbb{W} = 5, \odot = 6, \square = 7, \uparrow = 8, \boxed{/} = 9, \boxtimes = 0$

4. many solutions

5.

1	2	4	3
4	3	1	2
3	4	2	1
2	1	3	4

(There are many solutions)

6.

4	5	2	3	1
3	1	4	5	2
5	2	3	1	4
1	4	5	2	3
2	3	1	4	5

(There are many solutions)

Page 208 Mental Arithmetic Practice 4

1. 20   **2.** 14 cm   **3.** 7   **4.** 4   **5.** $\dfrac{2}{3}$

6. 0.8   **7.** 30   **8.** 7:40   **9.** 60   **10.** $\dfrac{3}{5}$

11. 13   **12.** 80   **13.** 5   **14.** 2500000   **15.** 66

16. 45°   **17.** £8–£9   **18.** 9   **19.** 455   **20.** $3(n + 6)$

21. £30   **22.** 50000   **23.** 17, 18   **24.** 130   **25.** £5.50

26. 400   **27.** 6   **28.** 3   **29.** 144   **30.** 4800

Page 209 A long time ago! 4

1. $6 = 1 + 2 + 3$ **2.** 28   **3.** None

4. (a) eg. 8128 and 8589869056

Page 210 Exercise 1M

1. 5 : 1   **2.** 1 : 2   **3.** 9 : 8   **4.** 2 : 1   **5.** 20

6. (a) 3 : 2   (b) 3 : 5   (c) 1 : 4   (d) 11 : 10   (e) 8 : 5   (f) 3 : 4

7. 500   **8.** 80   **9.** (a) 3 : 2 : 4   (b) 8 : 1 : 3   (c) 6 : 5 : 4

(d) $3:2:3$ (e) $7:1:5$ (f) $2:1:5$ **10.** 24 apples, 16 bananas   **11.** 21

12. 28 sheep, 21 cows   **13.** 30 homes wins, 5 draws   **14.** (a) $1:2$ (b) $1:3$ (c) $1:3$

Page 212 Exercise 1E

1. Will £45, Chloe £15   **2.** Alex 18, Debbie 12

3. (a) 24cm, 30cm   (b) £36, £63   (c) 72km, 60km

     (d) £8, £12, £16   (e) 100kg,. 40kg, 60kg   (f) £200, £1800

4. 455g   **5.** 40   **6.** (a) £35   (b) 70kg   (c) 96m

7. $90°, 30°, 60°$ **8.** $120°$ **9.** (a) £5   (b) 16cm   (c) 12 litres

10. £27.50   **11.** 35   **12.** 30 hours   **13.** 56   **14.** (a) $5:7$ (b) $25:49$

Page 213 Exercise 2M

1. £6   **2.** £7.50   **3.** £32.20   **4.** £4.80   **5.** 1264

6. 36 minutes   **7.** 3655g   **8.** 400 minutes   **9.** 11   **10.** 48 minutes

11. 45 euros   **12.** 55 litres   **13.** 8 men   **14.** One angel

Page 215 Exercise 2E

1. 30m   **2.** 8m   **3.** 400m   **4.** 7km

5. 90km   **6.** 500m   **7.** 1km   **8.** 1.5km

9. 1200m   **10.** 17km   **11.** 162km   **12.** 600km

13. 1km   **14.** 3.5km from Manly, 3km from Cowton so Sandra heads for Cowton

Page 216 Exercise 1M

1. (a) -1 (b) 6   (c) 5   (d) -6 (e) 3   (f) -4

     (g) -2 (h) -4 (i) 3   (j) -2 (k) -5 (l) -3

2.

+	-3	6	-1	-5
-2	-5	4	-3	-7
-1	-4	5	-2	-6
-4	-7	2	-5	-9
7	4	13	6	2

3. (a) 1   (b) 2   (c) 9   (d) -10 (e) 7

4. (a) -2

5. (a) $-3, -1, 2, -2, 1, 2$ (b) $5, 1, -1, 0, -4, -2$

     (c) $-1, -4, 0, 2, -1$

Page 217 Exercise 1E

1. (a) true   (b) false   (c) true   (d) true   (e) false   (f) true

2.

×	-2	-5	6	-7
-3	6	15	-18	21
4	-8	-20	24	-28
8	-16	-40	48	-56
-9	18	45	-54	63

3. (a) 21 (b) -28 (c) -18 (d) 9

     (e) -16 (f) -11 (g) 0   (h) 49

     (i) -24 (j) 0   **4.** $-5°C$ **5.** (a) -10

     (b) -6 (c) -7 (d) -4 (e) 10

     (f) 6   (g) 9   (h) -7 (i) -8

Page 219 Exercise 1M

1. (a) $12 \to 72, n \to 6n$ (b) $8 \to 64, n \to 8n$ (c) $15 \to 150, n \to 10n$

2. (a) $20 \to 80 \to 81, n \to 4n \to 4n + 1$ (b) $12 \to 60 \to 59, n \to 5n \to 5n - 1$

(c) $10 \rightarrow 20 \rightarrow 21, n \rightarrow 2n \rightarrow 2n + 1$ (d) $20 \rightarrow 100 \rightarrow 102, n \rightarrow 5n \rightarrow 5n + 2$

3. (a) $2 \rightarrow 14 \rightarrow 15, 3 \rightarrow 21 \rightarrow 22, 4 \rightarrow 28 \rightarrow 29$ (b) $2 \rightarrow 6 \rightarrow 4, 3 \rightarrow 9 \rightarrow 7, 4 \rightarrow 12 \rightarrow 10$

(c) $1 \rightarrow 5 \rightarrow 6, 2 \rightarrow 10 \rightarrow 11, 3 \rightarrow 15 \rightarrow 16, 8 \rightarrow 40 \rightarrow 41$

(d) $1 \rightarrow 10 \rightarrow 11, 2 \rightarrow 20 \rightarrow 21, 5 \rightarrow 50 \rightarrow 51, 10 \rightarrow 100 \rightarrow 101$

Page 220 Exercise 1E

1. (a) $4n + 1$ (b) $2n + 1$ (c) $5n - 3$ (d) $7n - 3$ (e) $3n + 4$

2. (a) 26   (b) $5n + 1$ **3.** (a) $3n$ (b) $5n$ (c) n^2

(d) $7n$ (e) $n + 1$ (f) $3n + 2$ (g) $2n - 1$

4. (b) 6, 10, 14, 18   (c) 22   (d) $4n + 2$ **5.** n^3

Page 222 Exercise 2M

1. $4n + 1$ **2** (a) $3n + 4$ (b) $5n - 1$ **3.** $4n + 2$ **4.** $3n + 2$

5. (a) $2n + 6$ (b) $4n - 1$ (c) $5n + 3$

6. (a) $8n + 3$ (b) $2n + \dfrac{1}{2}$ (c) $3n - 10$ **7.** $3n + 1$

Page 223 Exercise 2E

1. $3n$ **2.** $4n$ **3.** $2n + 1$ **4.** $4n + 1$ **5.** $2n + 2$ **6.** $4n + 2$

Page 225 CHECK YOURSELF ON SECTIONS 5.1, 5.2 AND 5.3

1. (a) $5 : 3$ (b) 156   (c) £160   **2.** (a) £10.80   (b) 10 hours

3. (a) 2km   (b) 600m   **4.** (a) -2 (b) 6   (c) -2

(d) -5 (e) -4 **5.** (a) -6 (b) 42   (c) 5

(d) -9 (e) -44 **6.** (a) n^{th} term $= 5n + 3$

(b) difference $= 7, n^{th}$ term $= 7n - 5$

Page 227 Exercise 1M

1. $\times 2$ **2.** $\times 2$ **3. and 4.** not enlargements

5. $\times 3$ **6.** $\times 2$ **13.** 120mm

Page 228 Exercise 1E

1. not an enlargement   **2.** $\times 3$ **3.** not   **4.** not

5. $\times 1\dfrac{1}{2}$ **6.** not   **8.** 14cm   **9.** $x = 1$cm, $y = 18$

Page 232 Exercise 1M

1. A, D, H, K, M not congruent to any other shape. Congruent pairs are B/F, C/L, E/J, G/I

3. (a) 6   (b) 1

4. (a) BC   (b) BD   (c) DBC   (d) ACF

Page 235 CHECK YOURSELF ON SECTION 5.4 AND 5.5

1. (a)

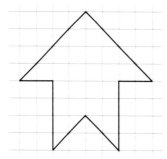

(b) yes   **2.** (a)

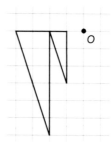

(b)

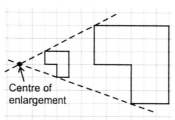

Centre of enlargement

3. (a) G

(b) none

4. One possible tessellation:

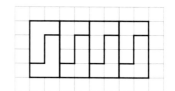

Page 237 Exercise 1M

1. y: 3, 4, 5, 6, 7, 8

2. y; 2, 4, 6, 8, 10, 12

3. y: 5, 4, 3, 2, 1, 0

4. (g) (3, 3)

5. y: 4, 6, 8, 10, 12, 14

6. y: 9, 4, 1, 0, 1, 4, 9

7. y: 11, 6, 3, 2, 3, 6, 11

8. (a) y: −1, 0, 1, 2, 3, 4, 5

(c) (6, 5)

9. (d) (1, 6)

10. (a) y: 0, 2, 6, 12, 20

(b) around 8.75

Page 239 Exercise 1E

1. $y = x + 4$ **2.** $y = x + 6$ **3.** $y = x − 4$ **4.** $x + y = 9$ **5.** $y = 4x$

6. $x + y = 12$ **7.** $y = x − 3$ **8.** $y = 5x$ **9.** $y = 3x + 1$ **10.** $y = 2x + 3$

11. (a) $y = x + 1$ (b) $y = 3$ (c) $x = 4$

Page 240 Investigation-the painted cube

A. The number of cubes is the sequence of cube numbers

B.

	Object	Number of unit cubes	Numbers of red faces			
			3	2	1	0
	2-cube	8	8	0	0	0
	3-cube	27	8	12	6	1
	4-cube	64	8	24	24	8
	5-cube	125	8	36	54	27
C.	6-cube	216	8	48	96	64
	7-cube	343	8	60	150	125
	.	.	.	.	.	.
	.	.	.	.	.	.
	.	.	.	.	.	.
D.	10-cube	1000	8	96	384	512
E.	20-cube	8000	8	216	1944	5832

Page 241 Exercise 1M

1. (a) 12cm^2 (b) 66cm^2 (c) 35cm^2 (d) 6cm^2 (e) 88cm^2 (f) 72cm^2

2. (a) 107m^2 **3.** B   **4.** (a) 5cm   (b) 9cm   (c) 6cm

5. 2750m^2 **6.** 9cm   **7.** 81cm^2 **8.** 90m^2

9. Bedroom A (11.76m^2) larger than bedroom B (11.28m^2)

Page 244 Exercise 1E

1. (a) 28.3 m^2 (b) 254.5cm^2 (c) 530.9 mm^2 (d) 78.5 cm^2

2. 2.0 m^2 **3.** 50.3 cm^2 **4.** (a) 25.1 cm^2 (b) 47.5 cm^2 (c) 113.1 cm^2

5. 2163 mm^2 **6.** 13060 cm^2

Page 245 CHECK YOURSELF ON SECTION 5.6 AND 5.7

1. y: $-1, 1, 3, 5, 7$, coordinates: $(0, -1), (1, 1), (2, 3), (3, 5), (4, 7)$

2. (a) $y = x + 2$ (b) $x + y = 6$ or $y = 6 - x$ (c) $x = 5$

3. (a) 27cm^2 (b) 144cm^2 (c) 120cm^2

4. (a) 153.9cm^2 (b) 283.5cm^2 (c) 78.5cm^2

Page 247 Unit 5 Mixed Review

Part one

1. (a) -7 (b) -12 (c) 36 (d) -4 **2.** 400m   **3.** 0.7s   **4.** £20000

5. (a) $\boxed{3.99}$, 4, 4.01, 4.02, $\boxed{4.03}$ (b) $\boxed{4.95}$, $\boxed{5}$, 5.05, 5.1, $\boxed{5.15}$, 5.2

7. 10 of each coin   **8.** 88cm^2 **9.** y: 1, 4, 7, 10, 13   **10.** circle A by 3.5cm^2

11. (a) -5 (b) 6 (c) -3 **12.** 12600s ($= 3.5$ hours)   **14.** $4 : 7 : 6$

15. (a) 34 (b) 12 (c) $S = 4N + 2$

Part two

1.

+	−6	−3	1
−2	−8	−5	−1
2	−4	−1	3
−1	−7	−4	0

3. $x + y = 8$

4. (a) $3 \times 27\text{p}$ (b) $3 \times 27\text{p}, 2 \times 36\text{p}$

     (c) $1 \times 27\text{p}, 5 \times 36\text{p}$ or $5 \times 27\text{p}, 2 \times 36\text{p}$

5. 2500km   **6.** 30.9cm^2

7. (a) 7 (b) -6 (c) 7 (d) -6

8. $4n - 2$ **9.** D   **10.** 60p   **11.** 35 mm   **12.** 168 minutes

13.

14. $n = 6$ **15.** 33cm

Page 256 Exercise 1M

1. 35%   **2.** 44%   **3.** 17%   **4.** 5%   **5.** 36%   **6.** 25%

7. 70%   **8.** D 25%, A 28%, C 30%, B 65%   **9.** 40%

Page 252 Puzzles and Problems

Part A

5	4	2		1	5	1	2
7		3		5	6		1
	4	5	7	1		9	6
7	3		4		3	1	
9		2	8	4		8	5
9		5		5	8		8
7	2	6	8		2	6	9
	1		2	1	1		3

Part B

9	9	0		9	9	1	0
2		2		5	6		0
	4	6	8	4		0	1
8	6		2			6	0
2		8	0	8		3	2
4		5		9	7		3
2	3	4	3		3	5	3
	7		2	2	5		1

Page 253 Mental Arithmetic Practice 5

1. 600
2. 5200
3. 20
4. a^3
5. 10
6. 50000
7. 10
8. 1.71m
9. 55
10. 50°
11. 35
12. 28 cm^2
13. 32
14. 20
15. 60%
16. 36
17. various
18. 4
19. 6020
20. 22
21. £5.98
22. 0.18
23. 250
24. 128 cm
25. 5, 6
26. 304
27. 80 m
28. −6
29. triangle
30. 11:05

Page 255 A long time ago! 5

1. 7
2. 15
3. 3
4. 31
5. 127

Page 257 Exercise 1E

1. 54.8%
2. (a) 38.9% (b) 8.3%
3. 43.8%
4. (a) 10.4% (b) 40.2%
5. 8.2%
6. Jack 35.3%, Gabby 34.8%, Tom 32.3%, Kate 32.4% Tom's kebab has the lowest percentage of fat in it
7. 23.8%
8. (a) 53.9% (b) 50.5% (c) 58.7%

Page 258 Exercise 2M

1. (a) £16 (b) £2 (c) £21 (d) £14 (e) £108 (f) £2.50
2. 26
3. 224
4. (a) £12 (b) £124 (c) £48 (d) £22 (e) £189 (f) £57
5. same
6. (b)
7. (a) £3 (b) £1.50 (c) £4.50
8. £14

Page 259 Exercise 2E

1. £72	**2.** £15	**3.** £7.29	**4.** £36	**5.** £30.80
6. £79.55	**7.** £1.10	**8.** £26.40	**9.** £204.40	**10.** £340
11. £13	**12.** £0.42	**13.** £580	**14.** £18	**15.** £29.75
16. £903	**17.** £2.85	**18.** (a) 91	(b) 49	
19. (a) 441	(b) 392	**20.** £29900	**21.** £0.28	**22.** £1.58
23. £1.19	**24.** £0.69	**25.** £0.80	**26.** £0.14	**27.** £1.92
28. £1.68	**29.** £0.03	**30.** £0.53		

Page 261 Exercise 2M

1. £94.50   **2.** £48   **3.** 66.5kg

4. (a) £98   (b) £272   (c) £144   (d) £162   **5.** A £19, B £85.50, C £61.75

6. £1980   **7.** £7310   **8.** 513g   **9.** 59278

Page 261 Exercise 3E

1. 18.2kg   **2.** 21.63 m   **3.** 2.673 kg   **4.** 604.8 g   **5.** 52.64 kg

6. £79.05   **7.** (a) 40 cm^2 (b) 48.4 cm^2 **8.** Coopers by £2.25

9 A 46, B 38, C 26   **10.** £69,506,000

Page 263 Exercise 1M

1. (a) $\dfrac{1}{7}$ (b) $\dfrac{6}{7}$ (c) $\dfrac{5}{7}$ (d) $\dfrac{2}{7}$ **2.** (a) $\dfrac{1}{8}$ (b) $\dfrac{7}{8}$ (c) $\dfrac{5}{8}$

(d) $\dfrac{2}{8} = \dfrac{1}{4}$ **3.** 0.39   **4.** (a) $\dfrac{1}{6}$ (b) $\dfrac{1}{3}$ **5.** (a) $\dfrac{1}{9}$ (b) $\dfrac{2}{9}$ (c) $\dfrac{1}{3}$

(d) $\dfrac{4}{9}$ **6.** $\dfrac{2}{3}$ **7.** (a) $\dfrac{1}{4}$ (b) $\dfrac{3}{4}$ (c) $\dfrac{1}{52}$ (d) $\dfrac{51}{52}$

8. Syline   **9.** 91%   **10.** (a) $\dfrac{1}{965}$ (b) $\dfrac{964}{965}$

Page 265 Exercise 1E

1. (a) $\dfrac{3}{9} = \dfrac{1}{3}$ (b) $\dfrac{6}{9} = \dfrac{2}{3}$ **2.** (a) $\dfrac{1}{5}$ (b) $\dfrac{1}{21}$ (c) 0

3. (a) (i) $\dfrac{1}{4}$ (ii) $\dfrac{1}{6}$ (b) (i) $\dfrac{1}{4}$ (ii) $\dfrac{5}{12}$

4. (a) $\dfrac{5}{16}$ (b) $\dfrac{15}{16}$ (c) $\dfrac{1}{16}$ **5.** (a) $\dfrac{1}{7}$ (b) 5 balls numbered 4

6. (a) $\dfrac{5}{9}$ (b) $\dfrac{4}{9}$ (c) $\dfrac{1}{9}$ (d) $\dfrac{6}{11}$ **7.** (a) $\dfrac{2}{5}$

(b) could be 3 red, 2 black   (c) various   **8.** (a) $\dfrac{3}{49}$ (b) $\dfrac{12}{49}$ **9.** $\dfrac{n}{m+n}$

Page 267 Exercise 2E

1. (a) $\dfrac{1}{6}$ (b) $\dfrac{31}{60}$ **2.** (a) $\dfrac{1}{2}$ (b) $\dfrac{61}{150}$ (c) Jenny, more trials

3. Expect 10 ones. Not necessarily

4. (a) $\dfrac{18}{40} = \dfrac{9}{20}$ (b) $\dfrac{10}{40} = \dfrac{1}{4}$ (c) $\dfrac{41}{80}$ (d) $\dfrac{18}{80} = \dfrac{9}{40}$ Yes: more results

Page 269 Exercise 3M

2. (a) $\dfrac{1}{9}$ (b)

Total	2	3	4	5	6	7	8	9	10	11	12
Probability	$\dfrac{1}{36}$	$\dfrac{2}{36}$	$\dfrac{3}{36}$	$\dfrac{4}{36}$	$\dfrac{5}{36}$	$\dfrac{6}{36}$	$\dfrac{5}{36}$	$\dfrac{4}{36}$	$\dfrac{3}{36}$	$\dfrac{2}{36}$	$\dfrac{1}{36}$

3. (a) (2,3), (2, 6), (2, 7), (3, 6), (3, 7), (6, 7) chosen in either order

   (b) (i) $\dfrac{1}{6}$ (ii) $\dfrac{1}{3}$ **4.** (a) $\dfrac{1}{6}$ (b) $\dfrac{5}{36}$ **5.** (a) $\dfrac{1}{6}$ (b) $\dfrac{1}{6}$

Page 270 Exercise 3E

1. (a) $\dfrac{1}{6}$ (b) $\dfrac{1}{3}$

2. (a) H1, H2, H3,H4, H5, H6,T1, T2, T3, T4, T5, T6   (b) (i) $\dfrac{1}{12}$ (ii) $\dfrac{3}{12} = \dfrac{1}{4}$

3. (a)

+	1	2	3	4	5	6	7
1	2	3	4	5	6	7	8
2	3	4	5	6	7	8	9
3	4	5	6	7	8	9	10
4	5	6	7	8	9	10	11

   (b) (i) $\dfrac{4}{28} = \dfrac{1}{7}$ (ii) $\dfrac{6}{28} = \dfrac{3}{14}$

4. (a) (1p, 10p), (1p, 20p), (10p, 20p) chosen in either order   (b) (i) $\dfrac{1}{3}$ (ii) $\dfrac{1}{3}$

5. (a) HHH, THH, HTH, HHT, TTH, THT, HTT, TTT   (b) (i) $\dfrac{3}{8}$ (ii) $\dfrac{1}{8}$

Page 271 CHECK YOURSELF ON SECTIONS6 6.1 AND 6.2

1. (a) 76%   (b) 17%   **2.** (a) £5.25   (b) £34.08   (c) £89.10

3. (a) £621   (b) (i) 144cm^2 (ii) 129.96cm^2

4. (a) 0.1   (b) (i) $\dfrac{3}{8}$ (ii) $\dfrac{5}{8}$ (iii) $\dfrac{3}{8}$

5. (a) $\dfrac{18}{25} = 0.72$ (b) $\dfrac{7}{25} = 0.28$ (c) yes

6. (a) (1,1), (1, 2), (1, 3), (1, 4), (2, 1), (2, 2), (2, 3), (2, 4), (3, 1), (3, 2), (3, 3), (3, 4), (4, 1), (4, 2), (4, 3), (4, 4)

   (b) $\dfrac{2}{16} = \dfrac{1}{8}$ (c) HH, HT, TH, TT   Answer = $\dfrac{1}{4}$

Page 273 Exercise 1M

1. 275cm	**2.** 45cm	**3.** 500cm	**4.** 0.19m	**5.** 0.35km	**6.** 0.15m
7. 6cm	**8.** 20cm	**9.** 0.5cm	**10.** 2.5km	**11.** 3000g	**12.** 9800g
13. 0.45kg	**14.** 2000kg	**15.** 3.5 litres	**16.** 486cm	**17.** 54.25kg	**18.** 6 tonnes

19. 2.1km   **20.** 56   **21.** $2592000   **22.** 365g bacon, 235g butter

23. (a) ≈ 8m   (b) ≈ 200cm   (c) ≈ 330ml   (d) 20mm

24. 3.47 tonnes   **25.** 12:17 P.M.

Page 275 Exercise 1E

Object	Measurement	Object	Measurement
Pound coin	weight 10 grams	Football	Capacity 3 litres
Tennis ball	3 inch diameter	Family car	weighs about 1 tonne
This book	12 mm thick	Newborn baby	weighs 6 pounds
Chair height	18 inches	Bag of sugar	2 pounds weight
Tennis court	length 20 yards	Biro	length 6 inches
Car speed	at 75 m.p.h travels 2km/min	Labrador	weighs 30−40 kg
Pile of pound coins (100)	about 30 cm high	Badminton net	6 feet high
12 year old boy	weight 6 stones	50 seater coach	15 meters long

Page 276 Exercise 1M

1. false	**2.** true	**3.** true	**4.** true	**5.** false	**6.** true
7. 31	**8.** 12	**9.** 23	**10.** 16	**11.** 8	**12.** 2
13. 6	**14.** 27	**15.** 7	**16.** 29	**17.** 49	**18.** 1

19. $9a + 15$ **20.** $36 - m$ **21.** $x + y - 10$ **22.** $v = 80$ **23.** $p = 38$

24. $43n$ pence   **25.** $4m + 4n$

Page 277 Exercise 1E

1. 9	**2.** 35	**3.** 35	**4.** 44	**5.** 34	**6.** 24

7. $2 + n \rightarrow n + 2, n \div 2 \rightarrow \dfrac{n}{2}, n \times 2 \rightarrow 2n, n + n + n \rightarrow 3n, n \times n \rightarrow n^2, 2n - n \rightarrow n$

8. $v = 78$ **9.** $m = 39$ **10.** $p = 2$ **11.** (a) $n - 8$ (b) $n - 8 + m$ (c) $n - 8 + 2m$

12. $p = 48$ **13.** $2n - 1, n^2 - 10, 10 - n$ **14.** $x = -2$

Page 278 Exercise 2M

1. $3n + 15$	**2.** $6n - 12$	**3.** $8n + 32$	**4.** $5n - 25$	**5.** $8n + 8$
6. $14n + 6$	**7.** $12n - 16$	**8.** $24n - 6$	**9.** $14 + 42n$	**10.** $12 + 36n$
11. $18n - 24$	**12.** $45n + 9$	**13.** $32n + 16$	**14.** $mn + 3m$	**15.** $np + mp$
16. $ab - ac$	**17.** $nw + ny$	**18.** $my - 4y$	**19.** $xy + 6x$	**20.** $2fn + 4f$
21. $mn + 7m$	**22.** $12m + 20$	**23.** $14w - 35$	**24.** $n^2 - 4n$	**25.** $w^2 + nw$

Page 279 Exercise 2E

1. $7n + 20$	**2.** $7n + 19$	**3.** $10a + 22$	**4.** $7a + 38$	**5.** $9m + 30$
6. $26n + 29$	**7.** $35a + 34$	**8.** $27y + 31$	**9.** $6(n + 4) + 4(2n + 3) = 14n + 36$	

10. $9n + 2$	11. $2n + 15$	12. $9a + 18$	13. $7m + 27$	14. $6x + 36$
15. $6a + 10$	16. $24n + 4$	17. $14n + 6$	18. $12y + 39$	19. $4x + 16$

Page 280 Exercise 3M

1. 34	2. 15	3. 8	4. 6	5. 6	6. 4
7. 8	8. 10	9. 7	10. 3	11. 8	12. 15
13. $m = 10$	14. 5	15. 8	16. 2	17. 9	18. 20
19. 4	20. 7	21. 50	22. 6	23. $2n - 5 = 17, n = 11$	

24. $3x + 30 = 180, x = 50$

Page 281 Exercise 3E

1. 4	2. 5	3. 8	4. 7	5. 10	6. 5
7. 6	8. 16	9. $n = 10$, hat costs £47		10. 8	11. 5
12. 6	13. 20	14. 10	15. 12	16. 15	17. 6
18. $5(n - 2) = 20, n = 6$		19. $x = 3$, area 15cm^2		20. $n = 2$	

Page 282 CHECK YOURSELF ON THE SECTIONS 6.3 AND 6.4

1. (a) 6700g (b) 5890ml (c) 0.35km (d) 600kg
2. (a) true (b) false (c) false (d) true
3. (a) true (b) $6w + 2n + 2$ 4. (a) $(n + 1)^2$ (b) $y = 32$
5. (a) $7x + 28$ (b) $12n - 6$ (c) $m^2 + mn$ (d) $11n + 31$ (e) $8x + 26$
6. (a) 6 (b) 3 (c) 7 (d) $n + 34$ (e) $n + 34 = 3n$ (f) $n = 17$

Page 284 Exercise 1M

1. (a) 2 (b) 4 (c) 5 2. Eight shapes can be made
4. A: 3, 8, 9 B: 1, 7 C: 2, 6, 12 D: 4, 5, 10 11 is odd one out
6. (a) (b) (c)

Page 288 Exercise 1M

1. Henry 036°, Jane 061°, Carol 090°, Paul 119°, Wendy 163°, Janet 192°, Terry 214°, Mark 256°, Ann 314°, Stephen 324°
2. G 035°, I 072°, A 085°, C 123°, F 139°, E 180°, B 200°, J 247°, H 280°, D 330°
3. (a) 110° (b) 260° (c) 130°

Page 288 Exercise 1E

1. Amy 060°, Ben 034°, Chris 126°, Don 225°, Eloise 090°, Fran 333°
2. (a) 035° (b) 077° (c) 057° (d) 108° (e) 203°
4. (a) (6, 5) (b) (4, 4) (c) (5, 3) (d) (5, 7) (e) (4, 7)

Page 290 Exercise 2M

2. ≈ 58m   **3.** ≈ 14m   **4.** ≈ 25m

5. (a) (i) 100cm (ii) 140cm (iii) 60cm (iv) 88cm

   (b) 4cm (c) 2.3cm (d) 6cm by 3.2cm (e) 3m by 1.6m

   (f) 1.6cm (g) 70cm (h) ≈ 65cm

Page 292 Exercise 2E

1. 8.6km   **2.** 7.7km   **3.** 11.5km   **4.** 8.7km   **5.** 10.7km

6. 12km   **7.** Yes (they are 3.6km apart)   **8.** 6.5m   **9.** 077.5° (±2°)

Page 294 Exercise 1M

1. 13.2   **2.** 0.51   **3.** 2.18   **4.** 11.78   **5.** 20.19

6. 13.3   **7.** 18.32   **8.** 26.87   **9.** 10.83   **10.** 0.619

11. Ashley, Maurice, Deb, Cheryl   **12.** 4.65   **13.** Ryan, David, Tania, Beth, Alex

14. 0.74 + 8 + 4.6   **15.** £73.34

Page 295 Exercise 1E

1. 0.024   **2.** 0.0021   **3.** 0.45   **4.** 0.04   **5.** 90

6. 0.13   **7.** 26.1   **8.** 2.64   **9.** $128   **10.** 15

11. £3.96   **12.** £2.45   **13.**

×	3	0.6	0.07
0.4	1.2	0.24	0.028
0.03	0.09	0.018	0.0021
0.6	1.8	0.36	0.042

14. (a) $0.96cm^2$ (b) 2.4cm

Page 297 Exercise 1M

1. $30cm^3$ **2.** $32cm^3$ **3.** $72cm^3$ **4.** $48cm^3$ **5.** $54cm^3$

6. $15mm^3$ **7.** $6cm^3$ **8.** $12cm^3$ **9.** $10cm^3$ **10.** $20cm^3$

11. $22cm^3$ **12.** $28cm^3$ **13.** (b) $32m^3$ (c) $64m^2$

14. (a) $115cm^3$ (b) $210cm^3$ **15.** 512

Page 299 Exercise 1E

1. $125cm^3$ **2.** $4200m^3$ **3.** 2 hours   **4.** (a) $8cm^3$ (b) $8cm^3$ (c) $6cm^3$

5. $300000cm^3$ **6.** 3 hours 20 minutes   **7.** $24300cm^3$

8. (a) $x = 2.5cm$ (b) $x = 3cm$ (c) $x = 1.5cm$ (d) $x = 1cm$

   (e) $x = 1.5cm$ (f) $x = 5cm$ **9.** (a) abc cm^3 (b) $2(ab + ac + bc)cm^2$

Page 301 CHECK YOURSELF ON SECTIONS 6.6, 6.7 AND 6.8

1. (a) 045° (b) 90° (c) 135° (d) 180° (e) 270° (f) 225°

2. (a) 25m (b) ≈ 45km   **3.** (a) 18.89 (b) 7.33 (c) 0.04, 0.074, 0.407, 0.704, 0.74

4. (a) 0.054 (b) 70 (c) 24.8 (d) £3.01

5. (a) $84cm^3$ (b) $660cm^3$ (c) 8

Page 302 Unit 6 Mixed Review

Part one

1. 112

2. (a) $\dfrac{2}{10} = \dfrac{1}{5}$ (b) $\dfrac{3}{10}$ (c) $\dfrac{5}{10} = \dfrac{1}{2}$

3. (a) 4 inches   (b) 2m   (c) 75kg

4. (a) B   (b) C   (c) A   (d) D

5. $\dfrac{5}{6}$

6. (a) 6   (b) 14   (c) 4   (d) 2

7. (a) $m + 4$ (b) $6 - p$ (c) $3t - 2$ **8.** 23kg

9. 310°   **10.** 72p   **11.** (a) 4   (b) 3   (c) 6

12. £1.80   **13.** 1000   **14.** 50   **15.** 16.25%

Part two

1. (a) A $\dfrac{1}{10}$, B $\dfrac{1}{2}$, C $\dfrac{1}{3}$ (b) $\dfrac{9}{10}$ **2.** 7   **3.** (a) 19824cm   (b) 0.2km

4. (a) $4n + 24$ (b) $15y - 35$ (c) $m^2 - mp$

5. (a) 0.0217kg   (b) less   **6.** (a) $n - 3$ (b) $4n$ (c) $4n + 10$

7. (a)   (b)   (c)   (d)

8. 250 days   **9.** (a) $\dfrac{1}{52}$ (b) $\dfrac{4}{52} = \dfrac{1}{13}$ (c) $\dfrac{13}{52} = \dfrac{1}{4}$

10. (a) Eric by 1.24kg, Matt by 0.62kg   (b) Eric £29.17, Matt £29.17

11. (a) 60cm^3 (b) 79.86cm^3 **12.** 3.9kg

13. 40°, 70°, 70°   **14.** £273862   **15.** $\Delta = 2\square s$

ISBN 978-1-902214-86-3